ICONIC LIGHT

光あれ！
闇という黒いキャンバスに、光という絵の具で絵画を描くような仕事、それが照明デザインです。
光が氾濫している今日の夜景を、より美しく、より快適に、より効率よく照らすためのアイディアを出し、それを的確に、そして迅速に実現すること、それが私たち照明デザイナーに課せられた任務だと考えています。
照明はただ明るくするだけの手段ではありません。アイデンティティーを表現しポリシーを象徴し、メッセージを伝えます。
暮らしを安全に、心地よく、楽しく、そして潤滑にしてくれます。バイオリズムを正確にし、心を癒やし、そして元気づけてくれます。
個別のニーズに応じたオリジナリティーある光の表現を、世界の第一線プロジェクトで、照明デザインのエキスパート I.C.O.N. がお届けします。

── こう宣言して私は独立し、I.C.O.N. と光の旅を始めた。そしてお陰様で10年を超えた。ありきたりに「あっという間だった」と言うこともできるけれど、同時にそれなりにいろいろな経験をし、充実した10年だったと感じる。
素晴らしいプロジェクト、楽しいプロジェクト、難しいプロジェクト、実現できなかったプロジェクト・・・・・・様々な思いを込めながら、ひとつひとつ真剣に向き合ってきた。
その成果とデザインの根底にある想いを、この機にまとめたい。そう思って作品集編纂に漕ぎ出してみたら、200ページ近くが瞬く間に埋まった。自分でも驚いている。
折しも2015年は、国連とユネスコが制定した「国際光年」に当たる。この照明デザイン作品集を手に取った方が、光の美しさ、大切さ、おもしろさなどを感じていただければ、著者として本望である。

"Let there be light!
The work of lighting design is like painting a picture but with paint called light on black canvas called darkness.
The lighting designer's mission is to come up with ideas for illuminating our contemporary nightscapes so flooded in light pollution in ways more beautiful, comfortable, and efficient, and then to bring this to reality accurately and swiftly.
Lighting is not simply about lighting things up. It expresses an identity, symbolizes a policy and conveys a message.
It makes our living more safe, comfortable, fun, and smooth. It corrects biorhythms, and it soothes and enlivens us.
I.C.O.N., a world-class lighting design expert, will provide you with a lighting expression designed originally for your needs and wishes anywhere in the world."

— Upon proclaiming this, I became independent, and the journey of I.C.O.N. and light had begun. And now, thanks to everything, more than ten years have passed. While it all happened "in the blink of an eye," at the same time, in its own way, it was a richly satisfying years full of a wide range of experiences.
I look back at those projects, the amazing, the enjoyable, the difficult, and the unrealizable, and, while inputting various thoughts and feelings, I think I gave my sincerest approach to each of them.
At the tenth anniversary, I wished to compile all the thoughts and feelings residing in these achievements and designs. When I started to make a compilation of works, it surprised even me how I had filled close to 200 pages so quickly.
The year 2015, in which this book is published, has been designated by the United Nations and UNESCO as the International Year of Light. As the author, I genuinely wish that readers of this compilation of my lighting design works can gain a sense of the beauty, preciousness and fascinating qualities of light.

« Que la lumière soit !
La mission de concepteur lumière, c'est dessiner avec des pinceaux de lumière sur la toile noire de l'obscurité. Nous pouvons embellir le paysage nocturne, améliorer le confort de l'espace…, et le réaliser de manière efficace, rapide et précise.
La lumière ne se limite pas à éclairer. Elle exprime une identité, symbolise une philosophie, est porteuse d'un message.
Elle peut amener un sentiment de sécurité, de bien-être, de joie, et de fluidité.
Elle règle les biorythmes, apaise et stimule l'esprit à la fois.
I.C.O.N. est une agence dont l'expertise en conception lumière propose une expression originale pour répondre aux besoins et aux désirs spécifiques de chacun partout dans le monde. »

C'est avec cette déclaration que j'ai choisi d'établir mon agence, initiant ainsi mon voyage d'exploration de la lumière…
Cette aventure entre dans sa deuxième décennie. Je pourrais simplement dire que le temps est passé comme l'éclair, mais il a aussi été riche de multiples expériences. Ces années m'apportent un vrai sentiment de satisfaction. Il y a eu des projets extraordinaires, amusants, difficiles, sans oublier ceux qui n'ont pas pu être réalisés…mais je m'y suis engagée de tout de mon cœur, en communiquant les idées qu'ils m'inspiraient.
À l'occasion de ce dixième anniversaire, j'ai eu envie de rassembler les fruits de mon parcours et les réalisations nées de mes créations. De plus, comme fait exprès, pour la première fois, 2015 avait été instituée « Année internationale de la lumière » par les Nations Unies et l'UNESCO.
Quand j'ai entrepris cette compilation, j'étais loin d'imaginer remplir près de deux cent pages en un clin d'œil… Mon souhait le plus vif est que cet ouvrage présentant mes travaux transmette aux lecteurs la beauté, l'importance et l'intérêt que la lumière recèle.

目次

建築照明　　7
Architecture Lighting
Eclairage Architectural

都市・庭園照明　　41
Urban & Landscape Lighting
Eclairage Urbain & Paysager

イベント照明　　61
Event Lighting
Eclairage Evénementiel

美術館照明　　97
Museum Lighting
Eclairage Muséographique

舞台照明　　135
Stage Lighting
Eclairage Scénique

光のプロダクト　　145
Lighting Products
Création de Produits

幻のプロジェクト　　159
Competition Proposals
Projets-Concours

建築照明
Architecture Lighting
Eclairage Architectural

ポンピドー・センター・メス
Pompidou Center Metz
Centre Pompidou Metz

空飛ぶ絨毯と光る芸術の雲

ポンピドー・センター・メスは、フランスにとって国家的プロジェクトと言われ、文化の地方分権政策において大切な意味合いを持っていた。国際コンペで建築案が募集される段階から、このプロジェクトは公開され人々の関心を引いた。自分の事務所を設立したばかりの私は、そんな大規模プロジェクトにお声が掛かるわけもなく、興味本位からコンペ結果を展示する展覧会に足を運んだ。そこで目にした坂茂＋ジャン・ド・ガティンによる当選案は、大胆な木構造の屋根がフワリとギャラリーを包み、冠雪したように白い布が屋根全体を覆うという、見たことのない軽さと透明性を秘めた、魅力的な作品だった。私は一目見て思った「この建築に光を当てたい！」と。独立したては暇なもの。夢中で夜景パースをつくって、建築に一目惚れしたときに思い描いたライトアップを絵にした。それからダメもとで坂事務所に電話アタック。すると、なんと超多忙なご本人に電話がつながり「はじめまして。ちょうど照明デザイナーを捜していたところです」。運命だと思った。美術館とはそもそも多様な文明や表現を俯瞰視点から収集・展示するところ。光る雲の上を空飛ぶ絨毯に乗って、作品を見てまわるようなイメージを光で表現するため、半透明の白い屋根を内側からライトアップ。自然に視線が上昇気流に乗るように上へ導かれるようにデザインした。その後、紆余曲折と七難を乗り越えて、このビッグ・プロジェクトは5年後にフランス大統領の臨席の下、竣工した。最初に見た夢のライトアップが実現。美術館のオープニングのポスターに夜景が使われたのは前代未聞のことで、光の魅力が国際的プロジェクトのイメージづくりに貢献する形となったことは、私にとって大きな励みとなった。翌年には国際的な照明デザイン賞もいただいた。

事業主：CA2M
建築：坂茂＆ジャン・ド・ガティン
展示照明：ロブセルバトワール１
Client: CA2M
Architect: Shigeru Ban & Jean de Gastines
Museum Lighting: L'Observatoire 1

Flying carpets and glowing clouds of art

Centre Pompidou-Metz is national project for France viewed by some as having important significance in the policy of cultural decentralization. The public first heard of the project when it was an architectural proposal through an international competition. From that stage on, the project was attracting many people's interest. Having just set up my own office, I was not intending to put my hand up to such a large project, and it was purely out of personal interest that I ventured to the exhibition showing the competition results. It was the winning proposal designed by Shigeru Ban and Jean de Gastines that caught my eye. It was a daring wooden structured roof softly wrapping around galleries, with white cloth covering the entire roof as if it were capped with snow—It was an outstanding work that concealed a lightness and transparency I had never before encountered. After one look at this, I thought, "I want to light up this architecture!" Having just become independent, I did have some spare time. And I intently began creating a nightscape perspective drawing, representing the light-up ideas that popped in my mind when I first saw the design. Then I boldly made the phone call to Mr. Ban's office, assuming the worst. But to my surprise, my call connected directly to the super-busy Mr. Ban, who actually said, "We were actually just in the process of looking for a lighting designer." —I thought it had been written in the stars. An art museum is primarily a place that collects and exhibits various cultures and expressions from an overlooking perspective. To use light to express an image of riding on a flying carpet above the glowing clouds looking around at the works, I created a light-up from inside the translucent white roof. I designed the line of sight to naturally flow upwards as if riding updrafts. Then five years later, after taking many twists and turns and overcoming tremendous obstacles, this big project was officially completed at a ceremony attended by the President of France. The initial dream light-up in my head had been brought to reality. The use of a nightscape in an opening poster of an art museum was unprecedented, and I was greatly encouraged how the charm of light was contributing to the image creation of an international project. The following year, I received an international lighting design award.

Tapis volant et nuage lumineux des Arts

Le Centre Pompidou-Metz était un projet aussi significatif qu'ambitieux né dans le cadre de la politique de décentralisation française de la culture. Il a suscité un grand intérêt dès le stade du lancement du concours international d'architecture qui a même fait l'objet d'une annonce publique.

À cette époque, je venais juste de créer mon bureau. Pensant que j'avais peu de chance de pouvoir collaborer à un projet de cette envergure, je m'y suis rendue par intérêt personnel pour voir l'exposition du projet qui avait gagné le concours. Le plan de Shigeru Ban et Jean de Gastines s'est avéré être un ouvrage fascinant dont l'audacieuse charpente en bois qui enveloppe délicatement les galeries en les recouvrant d'une immense étoffe blanche en forme de montagne couronnée par la neige, produisait une translucidité et une clarté comme je n'en avais jamais vu jusque-là. Au premier regard, je me suis dit « Je veux éclairer cette architecture ! » Quand on vient juste de se mettre à son compte, on a encore du temps libre... J'ai donc entrepris avec passion de concevoir une image de simulation nocturne, en dessinant l'idée née du coup de foudre pour cette construction. Puis j'ai pris mon courage à deux mains et j'ai appelé le cabinet Ban directement en me disant que je n'avais rien à perdre. À ma grande surprise, c'est Mr Ban lui-même qui m'a répondu malgré son planning ultra-chargé, et m'a déclaré : "Nous sommes justement en train de chercher un concepteur lumière." Je me suis dit que c'était le destin.

Un musée est essentiellement un lieu où sont collectées et exposées diverses civilisations et expressions dans une large perspective. Afin de créer au moyen de la lumière l'image d'une découverte des œuvres depuis un tapis volant au-dessus de nuages étincelants, j'ai conçu une illumination jaillissant de l'intérieur du toit blanc translucide. J'ai imaginé un design qui conduit naturellement le regard vers le haut, donnant l'impression de voguer sur une onde ascensionnelle.

Après bien des péripéties et des défis énormes, l'inauguration a eu lieu cinq années plus tard en présence du président de la République. La mise en lumière dont j'avais rêvé s'était réalisée et la vue de nuit a même été utilisée pour l'affiche d'ouverture du musée, c'était un événement sans précédent. Pour moi, cela signifiait que l'envoûtement de la lumière avait eu sa part dans la réalisation d'un projet international, ce qui était un encouragement majeur. L'année suivante j'ai reçu un prix international de la conception lumière pour cette réalisation.

Accés SUD
Acceso / Access

バルセロナ・フィラ・グランヴィア
Exhibition Site Granvia, Barcelona
Parc d'exposition Granvia, Barcelone

地中海の光るさざ波

独立してはじめて取り組んだ大型プロジェクトが、この欧州最大規模を誇る、バルセロナの展示場だった。既存のパビリオンに増築し、動線部分、外観、ランドスケープなどを大々的に刷新するという内容で、建築だけでなく、都市計画的観点からも、重要な社会的意味合いを担っていた。広大な敷地は、端から端まで歩くだけでも数時間かかる規模で、実は10年後の現在もまだ進行中の箇所がある長期計画でもある。慣れないカタロニア州の条例などに合わせるため、試行錯誤を繰り返しながらも、見失わないようにしたコンセプトは「美しい波」を魅せる照明。地中海の波をモチーフにした、伊東豊雄氏設計のゆるやかで美しい曲線や、さわやかな白を引き立たせるため、外観は、2層構造になったファサードの隙間にブルーの光を仕込み、表面は純白の光を当てることで、波頭から近海へ続くグラデーションを思わせる厚みを表現。ランドスケープ部分は、噴水やパゴダなどにアクセントを加えながら、カーブをモチーフにした街灯を導入したり、配置を有機的なパターンにしたりして、美的統一感と、照度基準などの技術的制約の間に折り合いをつけることに腐心した。室内の「軸線」と呼ばれる全館を貫くコリドールには、ダウンライトを2本波線状に配置して、展示会場の果てしない移動空間を楽しいプロムナードにすることを考えた。メインエントランスホールを含む第1期工事の竣工にはスペイン皇太子も臨席する盛大なセレモニーが行われ、プロジェクトの国家的重要性が示された。私は、このプロジェクトで、北米照明学会より初受賞を果たし、自分のデザイン方針が間違っていないことを確認することができた。

Glowing waves of the Mediterranean Sea

The first large-scale project I undertook after becoming independent was this exhibition site in Barcelona, which can boast to be one of the largest in Europe. The project, which entailed extending the existing pavilions, and carrying out major reforms such as the flow-line sections, exterior and landscaping, bore an important social significance not just for architecture but also from the viewpoint of urban planning. The vast site is so large that just to walk from one end to the other takes a matter of hours. It was also a long-term plan, and actually, some places are still in progress even now, ten years later. Amid the repeated adjustments that resulted while conforming to Catalonia's regulations which I was not familiar with, the concept that I tried not to lose sight of was lighting that expressed a charm of a "beautiful wave." In order to accentuate beautiful curved lines and fresh white that Mr Toyo Ito had designed using the Mediterranean Sea as a motif, I inserted blue light in the intervals of the two-layer facade and shone pure white light on the surface to express a thickness that invoked a gradation that continued from the crest of the wave head to the adjacent waters. For the landscape sections, I did my best to reach a conciliation that satisfied both my sense of aesthetic unity and the lighting level standards by adding accents such as fountains and pagodas, introducing curving lampposts and making organic patterns with their positioning. In the corridors that can be described as interior "main axis line" that pass through the entire site, I aimed to create the image of promenade that was enjoyable transitional spaces by positioning downlights to draw two wave shapes. Upon the completion of the first stage of construction, which included the main entrance hall, a grand ceremony, attended by the Crown Prince of Spain, was held, signifying the national importance of the project. For this project, I received my first award from the Illuminating Engineering Society of North America (IESNA), giving me confirmation that my own design policies were not mistaken.

事業主：FIRA2000
建築：伊東豊雄建築設計事務所
Client: FIRA2000
Architect: Toyo Ito Architects & Associates

Vagues de lumière sur la Méditerranée

Le premier projet confié à mon agence tout juste ouverte a été un des plus grands parcs d'exposition en Europe, Gran Via à Barcelone. Il était significatif aussi bien du point de vue social que de l'urbanisme, car il ne se limitait pas à l'architecture, mais impliquait aussi l'agrandissement d'un pavillon déjà existant et la rénovation complète de son axe central, de l'apparence extérieure et du paysage.

C'est un site d'une envergure impressionnante puisqu'il faut plusieurs heures pour le parcourir d'une extrémité à l'autre, et un projet à long terme dont certaines parties sont encore actuellement - dix années plus tard – en cours d'aménagement.

Afin d'être conforme aux normes inhabituelles de la Catalogne, j'ai multiplié les études qui m'ont amené à un concept représentant une belle vague. Pour l'illumination extérieure, j'ai inséré un éclairage bleu entre deux strates de la double façade, en prenant comme motif les vagues de la mer Méditerranée pour mettre en valeur les courbes douces et la blancheur de l'architecture de Toyo Ito. Ainsi j'ai tenté d'exprimer une profondeur qui évoque le dégradé ininterrompu de la naissance de la vague jusqu'aux fonds marins. Pour la partie paysage, ponctuée de fontaines et de pagodes, j'ai placé des lampadaires aux formes arrondies et j'ai calpiné les lumières en suivant une ligne organique, tout en recherchant un équilibre entre la cohérence esthétique et les normes d'éclairement.

Dans le long couloir permettant de traverser tous les bâtiments (l'axe de rotation intérieur), j'ai encastré des spots dans le plafond suivant deux lignes ondulées constituant l'«axe principal», afin de transformer cet itinéraire sans intérêt en un espace de déambulation agréable.

À l'occasion de l'inauguration de la première phase des travaux, une magnifique cérémonie en présence du prince héritier d'Espagne a été organisée, reflétant l'ampleur nationale du projet. Un travail qui m'a aussi permis d'obtenir mon premier prix de l'Illuminating Engineering Society of North America (IESNA), renforçant ma confiance dans l'orientation à donner à mes conceptions.

月明かりの回廊

フランスの公共ライトアップは全て公募コンペを経て実現される。厳しい条件と審査基準が羅列された応募要項を見て、独立したばかりの若手デザイナーは皆途方に暮れる。特筆すべき作品例も知名度もないのに、どうやって仕事を獲るというのか?! 残された道は、ひたすらアイディアを研ぎ澄ませてデザインコンペ優勝を狙うことのみだ。フランスの古都トゥールは、ロワール河に面した美しい中世の町。その中心にある大聖堂に付属する修道院（現在はモニュメントとして公開され、アート展示やコンサートなどにも活用されている）のライトアップ・コンペは、限られた予算と工期を突きつけられ、それらを踏まえた照明デザイン案まで提出しなければならない厳しいものだったが、修道院の美しさに心打たれ、参加することを決意した。現場で「この場所は、建設当時の夜、どうやって使われていたのか」を夢想し、月明かりに照らされたファサードと、蝋燭を手に神学書を歩きながら読んでいた（だろう）修道士達の息吹を感じさせるような、回廊の温かみのある光の対比を特化させたデザインを提案。ピュアなシンボリズムと絞った内容によるエコ設計が評価されて、初めてコンペに勝利することとなる。さらに1年後には、フランス照明デザイナー協会から大賞までいただいた、思い出深い作品である。

Moonlit corridor

All the public light-ups in France are selected via open-call competitions. Young designers having recently become independent must meet with the same bewilderment when they look such application guidelines, so densely laden with strict conditions and judgment criteria. "How am I going to get work without noteworthy works or name recognition?" The only way to succeed is to earnestly work out an idea to win a competition. The old city of Tours in France is a beautiful medieval town located alongside the river Loire. The competition, which was to light up a cloister (now publicly open as a monument and used for art exhibitions and concerts) attached to a cathedral in the city's center, did have strict conditions, such as restrictive budget and construction time that the lighting design proposal had to conform with, but we decided to participate because we had been touched by the cloister's beauty. Onsite, we envisioned, "How was this place used at nights at the time of construction?" and proposed a design that brought out the characteristics of the contrast of the moonlit facade with the warm light of the corridor in which one could feel the breath of the monks holding candles strolling around and (perhaps) reading the religious books. It was highly evaluated for its pure symbolism and eco design due to the stripped-down nature of the design, and it became my own first competition win. It is a deeply memorable work, for which we even received the first-prize award from the French association of lighting designers.

Coursive au clair de lune

En France, l'éclairage public fait l'objet d'un concours. Pour les jeunes concepteurs qui viennent juste de s'établir, les conditions de participation et les critères du jury sont très exigeants. Comment remporter une compétition alors qu'on n'a pas encore de créations à mentionner et encore moins une réputation établie ? Il ne reste plus qu'à trouver l'idée exceptionnelle qui saura emporter l'unanimité. Ancienne capitale française, Tours est une jolie ville moyenâgeuse bordée par la Loire. Le concours pour la mise en lumière du cloître attenant à sa cathédrale, au centre de la ville (actuellement utilisé en tant que monument public pour accueillir des expositions et des concerts), imposait une limite de budget et de durée des travaux compliquant la conception lumière. Cependant, touchées par la beauté du lieu, nous avons décidé de participer. Cela nous a amené à imaginer comment le cloître avait été utilisé la nuit à l'époque où il venait d'être construit. Nous avons visualisé un contraste entre la façade extérieure illuminée par le clair de lune et la lumière douce à l'intérieur de l'édifice, diffusée par les chandelles des moines déambulant en lisant leurs ouvrages de théologie. Mon plan reposait sur un symbolisme épuré allant à l'essentiel sans oublier un aspect économie d'énergie. Il a su trouver écho auprès des responsables et nous a donné la joie de gagner un concours public pour la première fois. Ce projet reste également gravé dans ma mémoire parce qu'il a été récompensé par le Grand Prix de l'Association des Concepteurs lumière et Éclairagistes de France.

トゥール大聖堂付属修道院「ラ・プサレット」
Cloister of Cathedral of Tours "La Psalette"
Cloître de la cathédrale de Tours « La Psalette »

事業主：(フランス) コンセルヴァシオン・レジオナル・
ド・モニュモン・イストリック
コラボレーション：キャロル・フェレリ
Client: Reginal Conservation of Historical Monuments (France)
Collaboration with Carole Ferreri

東京大学駒場 I キャンパス 21KOMCEE
21 KOMCEE, the Tokyo University
Université de Tokyo, 21 KOMCEE

事業主：東京大学
建築：類設計
照明器具：ライトクリエイション
Client: The University of Tokyo
Architect: Rui Sekkeishitsu
Light Objets: Light Creation

光でつくる知のオアシス

「駒場キャンパスに皆が愛着を抱くような求心的な場をつくりたいのです」——東京大学は学生の多くが最初の2年を駒場キャンパスで過ごした後、後半2年を本郷で過ごすため、前半を通過地点と考えがちで、卒業後も本郷に執着することを憂いた駒場の先生方から、「新しく計画中の多目的ホールに、光の力を借りたい」と要請をいただいたのは、2010年のことだった。私自身大学院時代を過ごした経験から、すぐにどうしたらよいのかに思い当たった——「オアシスをつくりましょう」。砂漠のオアシスには自ずと人が集まり、モノや情報やアイディアの交流が行われ、そこからまた新しいものが発信される。そんな場所にするために、3層吹き抜けの多目的ホールには「光湧」という波紋をイメージした光のオリジナル・オブジェを、アトリウムには水の雫をイメージした特注ペンダント「輝逓（きほう）」を、カフェテリアには木々の根元での憩いを思わせる木洩れ日プレートなどを提案した。特注デザインを制作してもらったが、取り付け中に東日本大震災に見舞われた。複雑な構造をした「光湧」は図らずもこの「耐震チェック」でその強靭さを実証することとなる。特殊なレンズを駆使して、天井に光の波紋を映し出す軽やかな姿に、間接照明が催事内容に合わせて様々な彩りで表情を加える。ゼロ・エミッション・ビルということで、全ての照明をLEDで賄ったこともひとつのチャレンジだったが、北米照明学会からデザイン賞もいただき、母校に少し恩返しができた。

Oasis of wisdom created by light

"We want to create an introspective place that wins the affection of everyone on Komaba Campus."–At The University of Tokyo, as many students, after spending their first two years at the Komaba Campus, spend the two years of the second half of their course at Hongo Campus, they think of their stay at Komaba in the first half as just a place they pass through along the way. Then, after graduating they never really feel much attachment to Komaba. So in 2010, I was asked by the teaching staff at the Komaba Campus if they could "Borrow the power of light." From my own experience as a graduate student, it came to me immediately what to do–"Let's create an oasis!" At an oasis in the desert, people gather and exchange things, information and ideas, and from there, new things are disseminated. To realize such a place, I proposed series of original light object called "Koyu" (upwelling of light) that gave the image of ripple patterns in the 3-story-open-ceiling multi-purpose hall, a bouquet of special order pendant "Kiho" that was inspired from of water droplets in the atrium, and plates of sunshine filtering through foliage that evoke the feeling of resting under trees in the cafeteria. Right in the middle of the installation of these custom-made objects, the Great East Japan Earthquake hit. The complexly structured "Koyu" has proved its sturdy construction via this unexpected "anti-seismic check". Through the use of a special lens, it was designed to gently project ripples of light on the ceiling. On top of it, indirect lighting adds expression by using various coloring that suitably matches the nature of each event supposed to be held in this hall. As the building is a CO_2 zero-emission building, one of the challenges was to use only LED. The project also earned me a design award from IES, and I was also able to give something back to my old school.

Oasis de sagesse née de la lumière

La majorité des étudiants de l'Université de Tokyo quittent le campus de Komaba à l'issue de leurs deux premières années pour poursuivre un deuxième cycle à Hongo. En 2010, les professeurs, inquiets du manque d'attachement général à ce site, m'ont contactée et exposé leur objectif : utiliser le pouvoir de la lumière pour changer la situation et construire un lieu attractif, afin qu'il ne soit plus considéré comme un simple passage, mais un endroit auquel les étudiants restent attachés même après leur diplôme. Ayant moi-même fait mes études de master sur ce campus, l'idée m'est immédiatement venue de créer une oasis. Dans le désert, ce sont des lieux où les gens se rassemblent pour échanger des produits, des informations, des idées, et d'où se diffuse la nouveauté. Afin de recréer cette atmosphère, j'ai proposé pour la salle polyvalente à triple volume des objets originaux créés en forme de cercle « ko-yu » (jaillissement lumineux), pour l'atrium, des suspensions à l'image d'une goutte d'eau « ki-ho » (éclat de lumière), et dans la cafétéria, des plaques insérant des dessins de feuilles d'arbres créant un effet de lumière filtrée par le végétal. Tous ces éléments avaient été réalisés sur commande, et leur robustesse a été prouvée par le grand tremblement de terre de l'Est du Japon qui a frappé pendant l'installation. Les « ko-yu », luminaires circulaires en ondulation et d'aspect léger, reflètent des anneaux de lumière sur le plafond grâce à un système d'optique spécial, diffusant un éclairage indirect qui permet de créer une riche palette de couleur adaptable à divers types de manifestation. Le bâtiment étant labellisé « éco », tous les éclairages utilisés devaient être des LEDs, ce qui représentait un défi important. J'ai reçu pour cette conception le prix de l'IESNA, comme un témoignage de reconnaissance envers mon université d'origine.

日本の美意識とハイテクの融合

新しくなった第5期歌舞伎座は、おしろいを塗り直したように艶やかさを湛える。外観ライトアップは、日本人の美意識に深く関わる「白の美しさ」を引き立たせるため、総LEDの技術を駆使して、夏のさわやかな白、冬の温かみのある白、夏冬の中間の白を照らし分けて季節感を表現した。また日本建築の特徴である大屋根を、高さ130m以上ある背後の歌舞伎座タワーの頂部からライトダウン。高度な光学技術で、屋根だけを当てている。歌舞伎が不動の地位を築いた江戸時代の時間の測り方「不定時法」に則り、新しい東京の夜のランドマークGINZA KABUKIZAは、宵から明け方まで点灯パターンを縮小させながら、幾重もの光の衣を纏っている。子供の頃から歌舞伎狂いだった私が、まさかこのような歴史に残る再建プロジェクトのお手伝いをさせていただけることになるとは、思ってもいなかった。その上、北米照明学会からデザイン賞もいただいた。

施主：松竹株式会社
建築：隈研吾建築都市設計事務所　三菱地所設計
コラボレーション：石井幹子＆石井幹子デザイン事務所
Client: Shochiku Kabushikigaisha
Architects: Kuma & Associates, Mitsubishi Jisho Sekkei
Collabration with Motoko Ishii Lighting Design

Fusion of Japanese aesthetics with high tech

The newly renovated fifth-generation Kabukiza Theater shines brightly as if it has received a fresh coat of white make-up powder. The "beauty of white" is so deeply entwined in the Japanese aesthetics. To bring this out, the facade light-up uses total-LED technology, the fresh white of a balmy summer, the warming white of winter, the white in between summer and winter are created to express sensitivity to the seasons. The large roof that characterizes Japanese architecture receives a light-down from the top of Kabukiza Tower rising higher than 130 meters in the background. Through advanced optics technology, the light hits only the roof. Borrowing on the traditional ways of measuring time in the Edo period during which Kabuki established an impregnable status, the new landmark of Tokyo's nighttime GINZA KABUKIZA is clothed in many folded clothes of light, gradually diminishing lighting patterns through the night from dusk to dawn. Being as crazy as I was for kabuki since my childhood, I never thought I would ever be given an opportunity to help out in this historic reconstruction project. On top of that, we also won a design award from IES.

Fusion de l'esthétisme japonais et des nouvelles technologies

À l'aube de sa cinquième rénovation, le Kabukiza à Tokyo affiche une élégance nouvelle, il apparait comme recouvert d'un fond de teint immaculé. Sur toutes ses façades, l'illumination extérieure est composée entièrement de LEDs qui varient selon les saisons, faisant ainsi ressortir la « sensibilité à la couleur blanche » si profondément inscrite dans l'esthétique japonaise : un blanc frais en été, un blanc chaud en hiver, un blanc neutre à l'automne et au printemps. De plus, sa large toiture caractéristique de l'architecture japonaise est éclairée par des projecteurs placés au sommet de la tour (située à l'arrière de l'édifice), qui culmine à plus de 130 mètres. Leur technique optique de haut niveau permet d'éclairer uniquement le toit. La renommée du kabuki s'est établie à l'époque d'Edo durant laquelle la division du temps correspondait à la longueur du jour, impliquant des heures de durées variables. C'est en écho à cette pratique que GINZA KABUKIZA a troqué son éclairage pour un vêtement de lumière variant du soir jusqu'à l'aube, devenant ainsi un point de repère nocturne incontournable. Moi qui suis passionnée de kabuki depuis l'enfance, jamais je n'aurais imaginé contribuer à ce projet de rénovation historique. L'IESNA m'a attribué le prix du design pour cette réalisation.

歌舞伎座
Ginza Kabukiza
Ginza Kabukiza

天空の灯台

「これなんだかわかりますか？」と言って建築家から見せられたパースに描かれていたのは、まるで宇宙ロケットのような不思議な造形物だった。往年の名画でも有名なフランス・ノルマンディー地方の港町シェルブール。この都市圏拡大に伴う新興住宅地建設を踏まえて、給水塔が建設されることになり、機能と造形美の調和を提案した建築がコンペを勝ち取った。彫刻作品のような幾何学的な凹凸のあるコンクリートの直径15m、高さ34mの円筒は、港町のどこからでも目にすることができる新しいランドマークとして丘の上に聳えるという。ライトアップを依頼され、そのスケールを想像した私は、場所柄すぐ思い至る「灯台」と、空へ向かって誘導される天空へのイメージを重ねて、各曜日を司る惑星からインスピレーションを受けた色（月曜日は月光のブルー、火曜日は火星の深紅……）で、日替わりカラーチェンジを実現。海側のカラーに対して、住宅地となる陸側は常時白で動と静の対比を付けた。全エネルギーを屋上のソーラーパネルで賄っている。北米照明学会デザイン賞受賞作品。

Lighthouse in the heavens

"Can you guess what this is?" On the perspective drawing handed by the architect showed a completely unusual space-rocket-like structure. Cherbourg is a harbor town in Normandy, France, once more famous owing to a classic film of yesteryear. Planning for new residential neighborhood development accompanying a period of growth of the metropolitan area, a water tower was to be built, and a design that proposed harmony of function and aesthetic beauty had won the competition. The 15-meter-diameter, 34-meter-high concrete cylinder comprised geometric concave facets fanning out like a sculpture. It was to stand on top of the hill as a new landmark that could be seen from anywhere in the city. Having been asked to provide a lighting design, I pictured its scale and combined a "light beacon" providing immediate place recognition with an image to the universe that guides you toward the sky. Using colors inspired from the celestial bodies assigned to each weekday (Monday, the blue of moonlight, Tuesday, the deep red of Mars...), I designed the colors to change each day of the week. In contrast with the color of the seaside, the landside, which would become residential development, was always white to add a comparison of movement and stillness. The entire energy is provided by rooftop solar panels. The project received an award from IES.

Phare céleste

« Tu arrives à imaginer ce que c'est ? » m'a-t-on demandé en me montrant une esquisse en perspective qui ressemblait à une fusée spatiale…

La ville portuaire de Cherbourg en Normandie, cadre d'un vieux film bien connu, développe un nouveau quartier résidentiel dans son programme d'extension de sa zone urbaine. La municipalité de Cherbourg a décidé de construire un château d'eau et le projet qui a remporté le concours est une architecture combinant fonctionnalité et esthétique. Un cylindre en béton de 15 mètres de diamètre et 34 mètres de haut évoquant une sculpture gigantesque, de par sa forme géométrique et irrégulière, se dresse sur les hauteurs de la ville, repère visible de n'importe quel point. Ayant été chargée de sa mise en lumière, l'emplacement du bâtiment m'a inspiré une double vision : celle du « phare » et celle du regard dirigé vers la voûte céleste. Sur la façade donnant côté mer, j'ai réalisé un procédé de variation de couleurs lié au jour de la semaine, inspiré par les planètes du système solaire (lundi, le bleu du clair de lune ; mardi, le rouge carmin de Mars…). Côté terre, face au quartier résidentiel, c'est une lumière blanche qui vient diffuser sa douceur en contraste. Toute l'énergie nécessaire à l'illumination est produite par un système de panneaux photovoltaïques situés sur le toit. Cette création a aussi reçu le prix de l'IESNA.

シェルブール・オクトヴィル 給水塔
Water tower, Cherbourg-Octeville
Château d'Eau, Cherbourg-Octeville

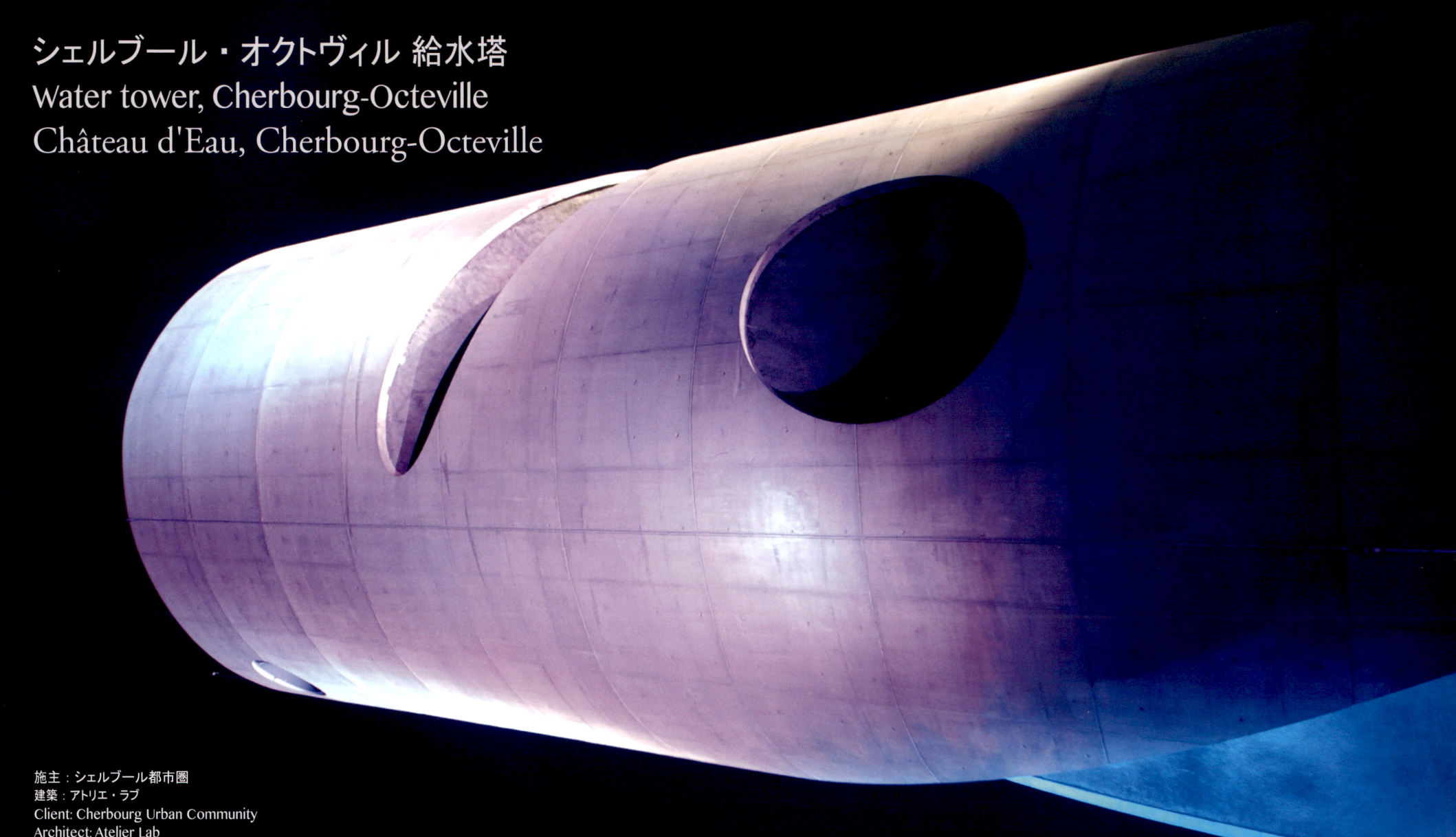

施主：シェルブール都市圏
建築：アトリエ・ラブ
Client: Cherbourg Urban Community
Architect: Atelier Lab

Lanterns of the soldiers' spirit in the now

Reims is today famous for Champagne. During the First World War, it suffered tremendous damage as a frontline of conflict between Germany and France. Located on the outskirts of Reims, the fort was a site of fierce battles, and it was even briefly taken by German forces during a night. As it was the centenary year since the start of the Great War, large-scale renovations were carried out, which included full-scale renewal of the fort museum inside. Having won this project through a competition, we chose illumination that accentuated the unique off-white of the local sandstone to light up the interior vault ceiling and create a sense of spaciousness and brightness, and we used small spotlights to light up the exhibits. Outside, we lit up the moat and exterior walls with amber colored LED to give the feeling of the flames of lanterns held by the soldiers at that time and expressed the contrast between new and old using the color of light. Inside, where abnormal humidity levels can occur, there were many technical constraints such as having to ensure that all fittings were waterproof. Nevertheless we created a light-scape that created effective accentuation of light among the shadows. This project also won an IES design award.

Les lanternes des soldats d'autrefois brillent à nouveau

De nos jours, la ville de Reims évoque essentiellement le champagne, mais pendant la Première Guerre mondiale, elle a été dévastée car elle se trouvait exactement sur la ligne de front du conflit franco-allemand. Ainsi, la tranchée située dans la banlieue de la ville a été le théâtre d'une bataille sanglante contre la Prusse qui a mené à la capitulation de la France en une nuit.

Un projet de restauration a été organisé pour commémorer le centenaire de la Grande Guerre, comprenant notamment la rénovation complète de l'intérieur du musée du Fort de la Pompelle. Nous avons remporté le concours. La mise en lumière du plafond en voûtes rehausse le blanc cassé de la pierre à chaux locale, afin de magnifier l'espace et de gagner en clarté. De petits spots visent les objets exposés. Les fossés et les murs ont été éclairés au moyen de LEDs de couleur ambrée, rappelant la flamme des lanternes des soldats de l'époque, et exprimant par cette teinte le contraste entre l'ancien et le nouveau. Malgré les nombreuses contraintes techniques imposées par le taux d'humidité élevé du musée, notamment l'étanchéité de tout le matériel, nous avons réussi à créer une ambiance rendant un joli contraste entre ombres et lumière. Ce projet a été lauréat d'un award d'ISENA.

兵士の心のランタン、今に

今ではシャンパンの中心地として知られるランスだが、第一次世界大戦時には、独仏会戦の最前線として多大な被害を被った。同市郊外に位置するこの塹壕もそのひとつで、一夜にしてドイツの背後からの襲撃で陥落した激戦地であった。大戦開戦100周年のために、大規模な修復工事が施され、内部の博物館も全面的にリニューアルされることになった。コンペでこのプロジェクトを勝ち取った私達は、この地方独特の石灰岩のオフホワイトを際立たせる照明で、内部のヴォールト天井をライトアップし、広がりと明るさ感を確保した上に、展示物に小さなスポットを当てていった。一方、屋外の堀や外壁には、当時の兵士が掲げていたランタンの炎を思わせるアンバーのLEDでライトアップを施し、新旧の対比を光の色で表現した。異常な程の湿気を含む室内には、全て防水器具が使われるなど、技術的な制約が多い中、陰翳の抑揚が効いたライトスケープ創出にこぎつけることができた。北米照明学会よりデザイン賞受賞。

事業主：ランス市
建築：アトリエ・ラブ
Client: City of Reims
Architect: Atelier Lab

ポンペル塹壕博物館
Pompelle Fort, Reims
Fort de la Pompelle, Reims

廃駅に光の息吹

ヨーロッパ照明デザイナー協会は、照明デザイナーを目指す学生等の指導のためのワークショップを定期的に実施。そのチームリーダーとして、ドイツ西部に呼ばれた私が、迷わず選んだのが閉鎖された赤煉瓦駅舎だった。その佇まいは、古のドイツの工業産業力を思わせながらも、朽ちた姿は痛ましかった。取り壊しの話も出ていたと聞く。1週間の期間中に、コンセプト、プラン、器具選定、設置・調整、プレゼンという本物のプロジェクトで必要なプロセスを全てこなす教育の機会。熱心な学生達との連日深夜に及ぶディスカッションや作業が続いた。「チーム・リーサ」による作品は、駅舎に息吹を吹き込むことをテーマにして、ダイナミックな色使いのグラデーションで、建物を生き返らせた。取り壊しも延長になったというから、光のパワーは凄い。

Breathing light into an abandoned station

The European Lighting Designers' Association regularly held workshops to guide students and others wishing to become lighting designers. I was called to the small city in western Germany to act as team leader. From four locations that were provisionally selected, the clear choice of project for me was a closed-down red-brick station building. While having the bearing of old German industrial manufacturing power, its dilapidated condition was a sorrowful sight. There was also a project to pull it down. We were assigned one week in which we had to do all the necessary processes of a real project, including coming up with a concept and plan, selecting the fixtures, executing wiring and installation, making adjustments and giving the presentation. With the dedicated students, I worked until the middle of the night each day. The realization by "Team Lisa" came up with the theme of breathing life back into the station building, and through gradations of dynamic color usage, we revitalized the site. As plans for its demolition now seem to be on hold, the power of light is amazing.

Souffle de lumière sur une gare abandonnée

L'European Lighting Designers Association organisait régulièrement des ateliers pour les étudiants qui se destinent à la profession de concepteur lumière. Dans ce cadre, j'ai été sollicitée pour diriger une équipe dans l'Ouest de l'Allemagne. Parmi les autre sites proposés, je n'ai pas hésité un instant à choisir l'ancienne gare, un bâtiment en briques rouges qui était fermé depuis déjà un certain temps. Tout son aspect évoquait la force productive industrielle de l'ancienne Allemagne, même s'il se trouvait dans un état de délabrement avancé. Je savais qu'il était question de le démolir. C'était l'occasion d'enseigner la totalité du processus nécessaire à la réalisation d'un vrai projet incluant le concept, le plan, le choix des appareils, l'installation, les réglages et la présentation, et tout cela en une semaine seulement. Nous avons alors entamé avec ces étudiants passionnés une période de travail intense et de longues discussions qui se finissaient tard dans la nuit. "L'équipe Lisa" avait pour objectif de redonner un nouveau souffle à cette gare. Le bâtiment a donc été ressuscité par un dégradé de couleurs vives. Nous avons su par la suite que sa démolition avait été ajournée, preuve supplémentaire s'il en faut du pouvoir de la lumière

ELDA ワークショップ　リューデンシャイト
ELDA Workshop, Ludenscheid
Atelier ELDA, Ludenscheid

共催：リューデンシャイト市　ヨーロッパ照明デザイナー協会
Organisers: City of Ludenscheid & ELDA

虎屋菓寮京都一条店
Toraya Kyoto
Toraya, Kyoto

本能をくすぐる灯火
「当店発祥の地にあるお店を建て替えます。是非照明をやってください」と虎屋17代当主から直々にお話をいただいた。室町時代後期、京都で創業した和菓子の老舗。永く御所御用を承ってきた虎屋は、京都御所のすぐ近くに今でも菓寮を営んでいる。住宅地にひっそりと佇む静謐さを尊重しながらも、外から見たときには引き寄せられる魅力を感じ、逆に中にいるときには居心地の良さを創出できるような光を模索した。お菓子というお題から思い当たったのは、小さな子供に見られる「気になるものは全て口に入れたくなる」という本能的な衝動。「そうだ、お菓子みたいに食べたくなっちゃう光をつくろう」。織部の里と呼ばれる愛知の焼き物の桃源郷に、陶器の窯元を訪ね、光を透過するほど薄く、もち肌のようなシェードをつくっていただいた。虎屋のロゴマークをかたどった、やわらかい明かりを放つ照明器具が、京都独特の路地をほのかに照らす。菓寮室内は、美しい木製のヴォールト天井を優しくアップライトしたところに、泡入りガラス製の小型ペンダントライトを特別製作して配置。ゆっくりとした時間を過ごす「ライブラリーカフェ」のコンセプトに、アクセントを与えるとともに、一条通からは、御簾越しに見える輝きが目を引く、特別な明かりが完成した。

Lights that appeal to instinct

I received a request in-person from the 17th-generation family head of Toraya, "we are rebuilding the sweet salon located on the land of our house's origin, and we would very much like you to do the lighting." The very-longstanding confectioner was founded in Kyoto in the late-Muromachi period (16th century). Having served as a purveyor to the imperial court, Toraya still now operates a confectionary business located very close to the Kyoto Imperial Palace. For this project, I was looking for light that, while respecting the silent tranquility residing in the residential neighborhood, was able to create an appeal that would entice those viewing from outside and, conversely, create comfort for those inside. The idea that stuck with me while thinking about the theme of sweets was that basic instinct one has as a small child of wanting to put every fascinating object in one's mouth. "That's it! I will make lights that people will want to gobble up like sweets." I visited a center of pottery production close to Nagoya called Oribe-no-Sato, and requested that it be thin enough to be translucent and as smooth as rice paste skin. The soft light diffusing fixtures in form of the Toraya logo faintly illuminated typical Kyoto-style paths. Inside the sweet salon, in the area of the beautiful wooden vaulted ceiling that received gentle up-light, I arranged custom-made, blown-glass petite pendant lights. Designing to the concept of "library cafe", where customers can leisurely pass the time, I thus realized special lighting ambiance that, while providing accents, emanated sparkles even noticeable through the bamboo blinds from Ichijo-dori Street.

La lumière fait appel à l'instinct

Le dix-septième descendant de la prestigieuse maison de pâtisserie japonaise Toraya m'a demandé de me charger de la mise en lumière de leur nouveau salon de thé, qui allait être reconstruit sur le lieu d'origine. Sa réputation remontant à la fin de l'époque Muromachi (le 16e s.) on sait que la maison mère se trouvait juste à côté du Palais Impérial pour qui elle officiait. Afin de rester en harmonie avec la tranquillité de ce quartier résidentiel, j'ai cherché à créer une lumière qui génère un sentiment de bien-être dès qu'on pénètre à l'intérieur tout en attirant le regard de l'extérieur. Le thème des gâteaux m'a évoqué l'impulsion instinctive des petits enfants voulant porter à leur bouche tout ce qui leur plaît et j'ai eu envie de créer une lumière qui donne envie d'être mangée comme un gâteau. Pour ce faire, je suis allée visiter la fameuse région de céramique de la préfecture d'Aichi, lieu appelé, "le Foyer du maître Oribe", afin de faire fabriquer des abat-jours d'un blanc laiteux si fins que la lumière passe presque au travers. Façonnés ,à la forme du logo de Toraya, ces luminaires doux éclairent délicatement les ruelles, recréant l'ambiance typique de Kyoto. Dans le vaste salon intérieur, au magnifique plafond lamé en bois clair, j'ai placé des luminaires à suspension de petite taille en verre bullé réalisés sur commande. Dans cet espace conçu comme un café-bibliothèque où l'on vient se délasser, j'ai créé une lumière originale qui se distingue depuis la rue Ichijo, attirant le regard par son éclat délicat à travers le fin store en bambou.

事業主：虎屋
建築：内藤廣建築設計事務所
特注照明器具：ライトクリエイション
Client: Toraya
Architect: Naito Architect & Associates
Light Objets: Light Creation

IPMU 屋上庭園
IPMU, The Tokyo University
IPMU, Université de Tokyo

事業主：東京大学　数物連携宇宙研究所
建築：大野秀敏
Client: IPMU, The University of Tokyo
Architect: Hidetoshi Ono

暗黒の夜に宇宙の光
東京大学柏キャンパスに、数物連携宇宙研究機構（現 Kavli IPMU）の研究棟が建設されることとなり、屋上のライトアップのお話をいただいた。暗黒物質を研究する高等研究所の屋上に「宇宙を思わせるライトアップを」というコンセプトで、屋外階段教室状の屋上庭園に、機能と演出を両立させる照明デザインを試みた。階段部分には足下や壁面などの建築エレメントに光を埋め込み、開放的な空間を実現。教壇となる部分に掛かるストラクチャーには、講演用の白い光の他、夜空、オーロラ、曙をモチーフにしたカラーアップライトをプリセット・プログラムし、多用な使用に合わせて選べる工夫をした。竣工以来、柏の夜の目印になっているらしい。

Lighting evocative of the universe in the night
A research building called Institute for the Physics and Mathematics of the Universe (currently Kavli IPMU) was to be constructed at the University of Tokyo Kashiwa Campus, and I was consulted about a rooftop light-up. For this advanced research laboratory, which studies dark matter, I chose the concept of "a light-up reminiscent of the universe" and attempted a lighting design that combined both function and performance in a rooftop garden in the shape of an outdoor stepped area for lectures. By embedding light in the architectural elements of the steps such as underfoot and in the wall surfaces, I created a free-spirited space. For the lighting system in the structure over the podium, in addition to white light for lectures, I also designed a range of light-ups based on the motifs of night sky, aurora boreal and dawn that can be selected as preset programs so as to cater for multiple purposes. Since it has been completed, I hear that it has become a nighttime landmark for Kashiwa.

Lumière cosmique perçant l'obscurité
Un grand institut de recherche international, le Kavli Institute for the Physics and Mathematics of the Universe (KAVLI IPMU) a été construit sur le campus Kashiwa de l'Université de Tokyo. J'ai été consultée pour l'illumination de son toit en terrasse. Le domaine de spécialisation de l'institut étant la matière noire, cela m'a donné envie d'évoquer le cosmos. Alors, sur le jardin en forme d'amphithéâtre, j'ai conçu un éclairage alliant fonctionnalité et mise en scène. J'ai aussi diffusé la lumière dans les éléments architecturaux des escaliers tels que les marches, les murs… afin d'ouvrir l'espace. Sur la structure abritant la chaire, j'ai installé un programme d'illumination automatique permettant une déclinaison des couleurs du ciel nocturne, aurore boréale, aube naissante… – sélectionnables indépendamment en fonction de l'usage. Depuis son inauguration, le site est devenu un véritable point de repère dans le secteur.

バーゼルワールド・ラ・モントル・エルメス・パビリオン
La Montre Hermes pavillion, Baselworld
Pavillon la Montre Hermès, Baselworld

温かい雰囲気・ブランドの世界観を表す光
世界的な高級時計と宝飾の見本市「バーゼルワールド」は、各ブランドが大変力を入れ、度肝を抜くブースデザインを競い合う。有名ブランドのエルメスは、アート・ディレクターのたっての希望で、伊東豊雄氏に設計を依頼。他社が閉じた高級感を追求する中、木や草木染めを駆使したデザインは、お披露目と同時に「オアシスのような空間」と業界中の話題をさらった。入口アトリウムの明るいウェルカム感を、シルエットになった格子越しに感じるところから期待感が高まる。中に入ると、一転してエルメスカラーのオレンジやイエローのテキスタイルや、木材を引き立たせる温かい光に包まれ、奥のラウンジや2階へ視線が誘導される。グローバルブランドのイメージづくりを学びながら、それを光で表現するという、やりがいのあるプロジェクトだった。

Light expressing the Brand's Univers and Warm Impression
Baselworld, the international watch and jewelry show, is the place where all brands vie arduously for the most stunning pavillion design. The prominent brand Hermes entrusted its design to Toyo Ito at the insistence of their art director. While its competitors were pursuing high-class closed-off designs, Hermes' design, utilizing wood and vegetable dyes, became a talking point of the industry instantly upon its unveiling as "an oasis like space." The bright welcoming feeling of the atrium at the entrance can be felt while crossing through the silhouetted lattice, heightening anticipation. Once inside, one look around reveals surroundings comprising textiles of Hermes' orange and yellow colors, and wooden materials accentuated by the warm lighting. One's gaze is guided to the lounge at the back and to the second floor. The project was a worthwhile opportunity to learn about the image creation of a global brand and contribute to this through the expression of light.

Une lumière qui exprime l'univers de la Maison Hermès dans une ambiance accueillante
Baselworld est un évènement prestigieux du monde de l'horlogerie et de la joaillerie, où les plus grandes marques rivalisent d'inventivité pour se mettre en scène. Sur la recommandation de son directeur artistique, la Maison Hermès a choisi l'architecte Toyo Ito pour la conception de son pavillon. Dans un style se distinguant résolument des autres marques qui expriment une exclusivité par un espace fermé, cet espace ouvert habillé d'une coursive de verdure a fait sensation par son aspect apaisant et chaleureux, décrit comme « une oasis » au milieu du salon. La clarté de l'atrium invite à passer sous l'ossature recouverte d'une résille de bois, une résille qui anime les façades d'un mouvement de houle. Une fois à l'intérieur, on est enveloppé par des textiles aux couleurs orange et jaune emblématiques de la Maison, et par la chaude lumière du bois qui entraine le regard vers les salons du fond et le deuxième niveau. Tout l'enjeu de ce projet était d'exprimer l'image d'une maison de renommée mondiale au moyen de la lumière.

施主：ラ・モントル・エルメス
建築：伊東豊雄建築設計事務所　クリステン＆カンパニー
Client : La Montre Hermes
Architect : Toyo Ito Architects & Associates / Christen & Company

オープン・ザ・カーテン！を光で
パリのおしゃれなマレ地区に位置する、フランスでも屈指のデパートのメンズ館は、なんと入口が普通のアパートの中庭奥に位置している。通りから見ると、そこがまさか百貨店のエントランスとは誰も思わないため、「集客につながる目を引く照明をやってほしい」という依頼が、ある日舞い込んだ。ただし、予算も工期も現場作業も最小限で、という。男性的なビビッドなラインでトレンド感を表現した器具を、通り沿いの中央の柱を逆手に取り、そこからカーテンが開いて行くように配して、明るさ感を出しつつ、建物の奥まで通行人の好奇心を引き込み、誘導することにした。天井と壁、中庭の高さを縦横断するダイナミックな光の配置が功を奏してか、その後はいつも入口が賑わっている。

Opening the curtain with light
Located in the fashionable Marais district of Paris, the men's boutique of one of France's most prominent department stores was to have an entrance located off-street in an inner court of a building of ordinary apartments. This posed a concern that no-one looking from the street would think that it was truly an entrance to the department store. And so, one day, a request came my way: "we want eye-grabbing lighting that will draw customers." However, the budget, construction schedule as well as the onsite work had to be all minimal. I arranged lighting fixtures with masculine vivid lines expressing trendiness in a way that takes advantage of the central pillar, giving the effect of a curtain opening from there. And while emanating a bright mood, the lighting piques the curiosity of passers-by and entices them to venture into the inner court. Whether or not it is testimony to the success of this dynamic arrangement of crosscutting light across the ceiling, walls and height of the courtyard, but ever since, the entrance has always been busy.

La lumière lève le rideau
L'entrée du grand magasin de la mode homme BHV Paris est située dans la cour intérieure d'un immeuble résidentiel donc elle pourrait facilement être prise pour celle d'un appartement particulier. Depuis la rue, personne n'imagine que c'est le seuil de ce prestigieux magasin du Marais. J'ai donc été consultée pour composer un éclairage qui attire le regard et incite à entrer, tout en respectant un budget limité et une durée assez courte autorisée pour les travaux et pour l'installation. J'ai pris à revers les sombres piliers donnant sur la rue et, en écho à la ligne masculine du magasin, j'ai choisi des luminaires très nets, disposés de telle façon qu'ils évoquent un rideau qui s'ouvre, avec une luminosité stimulant la curiosité et l'envie de pénétrer à l'intérieur. Cette nouvelle disposition plus audacieuse relie le plafond et les murs à la cour intérieure, créant une sensation dynamique. Le concept semble avoir porté ses fruits car depuis ce changement, l'entrée est toujours très animée.

BHV メンズブティック エントランス
BHV men, shop entrance, Paris
Entrée du BHV Homme, Paris

施主：シティーノーヴ（プランタングループ）
Client: Citynove (Printemps Group)

東雲ビーコンタワー　ゲストルーム
Guest Room, Beacon Tower, Tokyo
Guest Room, Beacon Tower, Tokyo

事業主：有楽土地
建築：大成建設
インテリア：ルイ・ヴィトン・ジャパン
Client: Yuraku Tochi
Architect: Taisei Corporation
Interior Coordination: Louis Vuitton Japan

夜景を見るためのオモテナシ・ライト
東京ベイサイドの高層高級マンション。その上層階に位置するこのゲストルームからは、東京湾のドラマチックな夜景が一望できる。インテリアはルイ・ヴィトンのコンシェルジュがリュックスなコーディネートを実現した。そうした贅沢な環境を生かすために提案したのは、「外を見るための室内照明」。折角のインテリアを強調すべきかとも考えたが、あえてその中に居る心地よさを重視。空間のほとんどを間接照明で柔らかく照らし、くつろげる雰囲気をつくった上に、夜景を見ながらのディナーを楽しむためのシナリオも用意。誰でもボタンひとつで、おもてなしの華やかなモードから、夜景堪能モードに切りかえられる仕掛けを提供した。楽しんで使っていただけているらしい。

Welcoming light for viewing nightscapes
This project was for the luxury-class condominium Tokyo Bayside. As a guest room located on an upper floor, it commands a majestic view of Tokyo Bay's nightscape. The interior was luxuriously coordinated by a concierge of Louis Vuitton. My proposal to enliven this exclusive environment was "interior lighting to view the outside." I could have considered the importance of highlighting the features of the precious interior, but I purposely focused on the comfort residing inside this. I used soft indirect lighting to light most of the spaces. And aiming to create a relaxing environment, I designed preset scenarios for enjoying dinner while viewing the nightscape. I provided a feature that enabled anyone, at the push of a button, to switch from the splendid mode to nightscape viewing mode. Apparently, the guests are enjoying this feature.

Accueilli par la lumière pour découvrir la vue nocturne
Ce complexe résidentiel de luxe est situé à Tokyo Bayside. Depuis l'étage supérieur réservé aux invités, on domine le panorama spectaculaire de toute la baie. C'est le service de conciergerie du groupe Louis Vuitton qui a coordonné le choix de la décoration intérieure. Afin de tirer parti de cet environnement exceptionnel, le groupe m'a confié la conception lumière du lieu avec pour mission de valoriser la vue extérieure depuis l'espace intérieur. J'ai aménagé dans cet appartement luxueux une lumière indirecte et douce, qui invite à se détendre et à dîner tout en profitant du paysage nocturne ; grâce à un dispositif permettant en une seule manipulation de permuter l'éclairage d'accueil du début de soirée et celui de contemplation de la vue. Ce système est très apprécié par les résidents.

寿月堂パリ
Jugetsudo Paris
Jugetsudo, Paris

事業主：寿月堂
建築：隈研吾建築都市設計事務所
Client: Jugetsudo
Architect: Kuma & Associates

建築のハーモニーの中に生きる光
パリで初めての本格的な日本茶の専門店。設計を担当する隈研吾氏より、照明デザインでの参加を直接打診された。見せられた竹林のような室内を、どう風情ある光で満たせるか考え始めた。ツララのように下がる竹の奥行き感、重層感、質感、色合いなどを光で引き立て、かつブティック全体に温かい雰囲気をつくり、眩しさのない展示機能を満足させるために、照明器具は全て目に見えないところに隠し、控えめな演出を試みた。いきおい、建築空間において、照明だけが目立つようなデザインは、ハーモニーを乱す。照明ばかりほめられる舞台がないように、光だけが目立つ建築空間は、どこか間違っているはずだという信念を抱いて、小さいブティックを光で包み込んだ。

Light that lives inside architectural harmony
Kengo Kuma was in charge of the design of Paris' first authentic Japanese tea specialty shop, and when he personally asked me to participate in the lighting design, I looked at the interior design that resembled a bamboo thicket and immediately began considering what kind of atmospheric light I would fill it with. While wishing to use light to accentuate the depth, multilayers, texture and hues of the icicle-hung bamboo and create a warm environment for the boutique overall, I wanted to realize a showcase with no glaring brightness, and so I concealed the lighting fixtures away from view and attempted a modest presentation. A design's harmony is disrupted if the accentuation of lighting dominates the architectural space. So while I was wrapping this petite boutique in light, I held on to my belief that it must be somehow mistaken to allow architectural space where light alone stands out, just like no great stage exists which receives prizes only for lighting.

La lumière fait vivre l'harmonie architecturale
Jugetsudo est la première boutique de thé japonais authentique à Paris. Son architecte Kengo Kuma m'a consultée pour me demander de penser l'éclairage du lieu. Ma réflexion m'a amenée à envisager un moyen d'emplir de lumières raffinées cette pièce ressemblant à une futaie de bambous. J'ai donc renforcé la sensation de profondeur émanant des tiges qui semblent suspendues comme des chandelles de glace – en travaillant sur leur superposition, leur matière et leurs nuances de couleurs - tout en créant une ambiance chaleureuse dans toute la boutique. Afin d'éviter l'éblouissement dans les espaces d'expositions, j'ai dissimulé les luminaires, pour un éclairage tout en discrétion. Envahir un espace architectural de lumière peut en perturber l'harmonie. Pour éviter ce déséquilibre, j'ai enveloppé cette petite boutique du halo délicat qui lui correspond.

エレガンスとカラー

フランス北部フランドル地方の都リール。その郊外の再開発が急ピッチで進んでいる。ショッピングやレストランも含むこのシネマコンプレックスは、イギリスのディベロッパーによるプロジェクトで、レバノンの事務所がプロジェクトマネージメントを担当。打ち合わせは英仏のミックスで進み、なぜか私が通訳する場面もあり、2国間の距離を図らずも感じた。ショッピングセンターの照明は、無個性でつまらないか、テーマパーク化しすぎかの両極端になりがち。建築家からはエレガントな照明にしてほしいと要求があり、考えた末、黄金色の外壁や石材の風合いを引き立てる建築ライトアップと、中庭のパステルカラー照明を組み合わせた。カラー照明を当てることで、中庭に来る人影にうっすらと色が付く「カラーシャドー」現象を利用して、ほのかな楽しさを演出した。

Elegance and color

Lille is a Flemish city in northern France. Its outskirts are currently undergoing redevelopment at an amazing pace. This cinema complex, which includes shopping and restaurants, was a project by an English developer, and a Lebanon office was in charge of the project's management. The initial consultations proceeded in a mixture of English and French. With the role of interpreter somehow falling to me, I sensed an unmeasurable distance between the two countries. The lighting of shopping centers tends to go in one of two polar directions: being boring and lacking personality, or becoming like a theme park. The architects put forward a request stating he wanted elegant lighting. After giving the project some thought, I went with a combination comprising an architectural light-up that accentuated the gold color of the outside walls and character of the stone material and a pastel colored lighting casting into the courtyard, which created a delicate and enjoyable effect by employing a "color shadow" phenomenon that I produced by faintly coloring the shadows of people that come through the courtyard

Élégance et couleur

Un vaste redéveloppement urbain est en cours dans la banlieue de Lille. Au sein du quartier, ce complexe cinématographique comprenant des boutiques et des restaurants est un projet initié par un promoteur britannique et dont la gestion a été confiée à un bureau libanais. Les réunions se tenaient en anglais et en français, et me trouvant parfois sollicitée pour l'interprétation, je ressentis soudain la distance qui existe entre les deux cultures. L'éclairage d'un centre commercial tombe souvent dans deux pièges: le manque d'originalité, ou, au contraire, le tape à l'œil de style parc thématique. L'architecte souhaitant une mise en lumière élégante, j'ai décidé après réflexion d'associer une illumination architecturale qui rehausse la couleur de la teinte dorée et de la pierre de façades, et des faisceaux colorés en pastel dans la cour URBA, qui projettent des ombres colorées. Ainsi, je suis parvenue à créer une atmosphère tout en délicatesse.

ヘロン・パーク・ヴィルヌーヴダスク

Heron Park, Villeneuve d'Asq

Heron Parc, Villeneuve d'Asq

事業主：ヘロン・パーク
建築：マルク・パンダヴォワンヌ
Client: Heron Park
Architect: Marc Paindavoine

都市・庭園照明
Urban & Landscape Lighting
Eclairage Urbain & Paysager

サン‐テティエンヌ中心部再開発計画
City Center Renovation, St-Etienne
Rénovation du centre-ville de St-Etienne

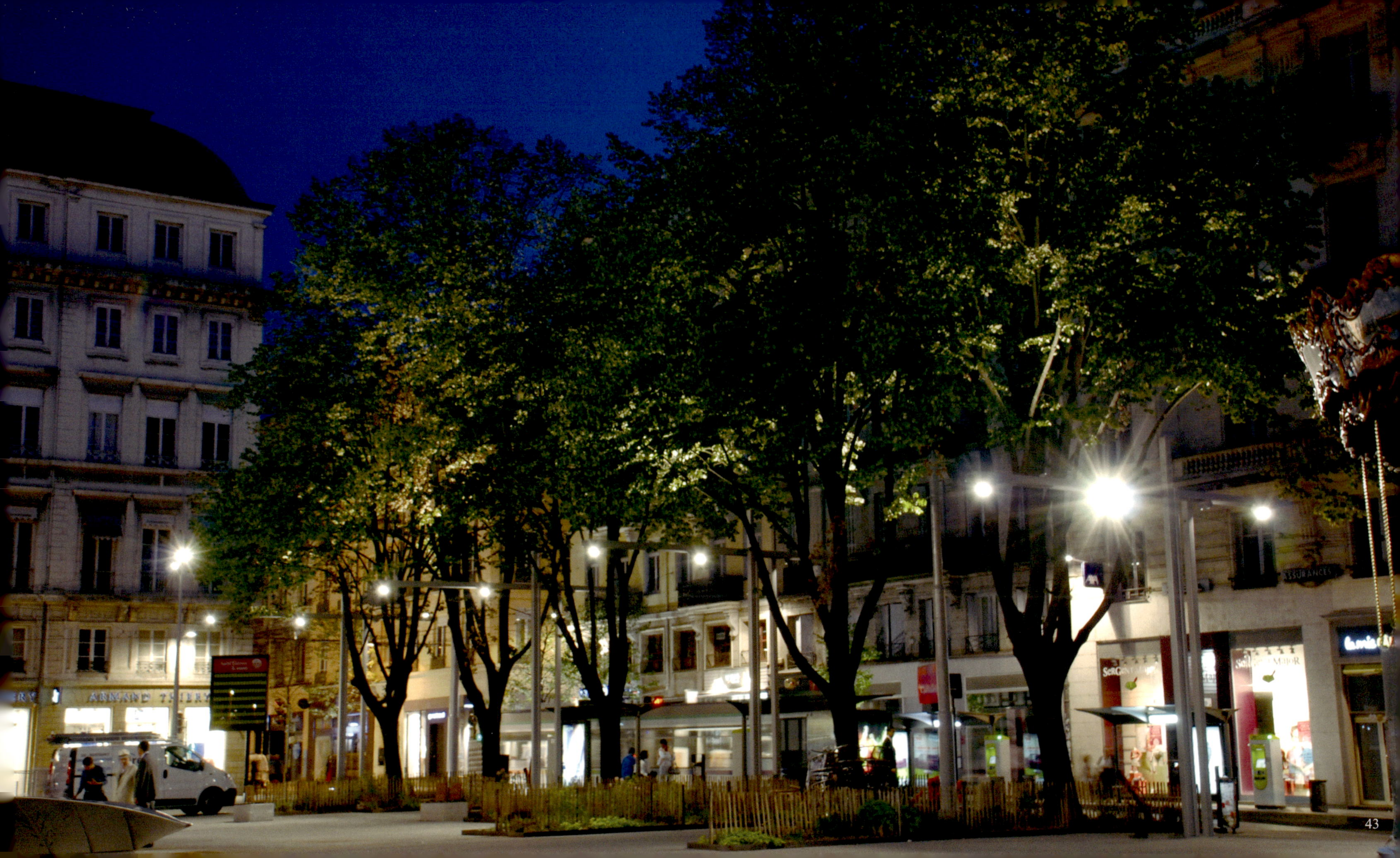
ARMAND THIERRY
ASSURANCES

市民の憩う光環境
フランス中東部に位置するサン‐テティエンヌは廃坑の町のイメージから脱却するためのデザイン戦略を推進する中で、市内の都市再開発計画を積極的に進めている。コンペで選ばれた案は、市庁舎前広場を多目的に活用できるよう、広くオープンスペースを取るデザインで、そのため照明ポールも脇にまとめなければならないという課題があった。都市設計家と協同して、長いアームを伸ばしたポールを考案、並木の下に差し込むように配置し、広場全体の明るさの確保と、樹木のアップライトを施した。広場の反対側には、職人技を残す鉄鋼・色ガラスなど地場産業とのコラボで、アイコンとなるポールを実現。隣接する広場等には、優しい光を放つシェードランプ風の街灯を吊るし、アットホームな雰囲気を醸し出せるよう工夫した。通過地点でしかなかった広場が、市民の憩いの場所として再生された。

Lighting environment for citizens' solace

Saint-Etienne is located in the eastern midlands of France. Proceeding with various design strategies aimed at escaping its image as a former coal mining town, it is actively undertaking inner-city urban redevelopment projects. The proposal, which was selected by a competition, was a design to take wide open space so as to facilitate multipurpose utilization of the public plaza in front of the City Hall, and there was a challenge of setting lighting poles aside for this purpose. I cooperated with the urban designer to create long-armed poles designed to be inserted under a row of spectacular trees in order to ensure sufficient lighting level to the entire open space and implement a tree up-light. On the other side, in collaboration with local industries still competent in artisan skills such as metalworkers and colored glass manufacturers, we realized another series of poles that would become icons. In the adjacent Dorian plaza, we suspended shade lamps that emitted a gentle glow, and fostered an at-home atmosphere. The open spaces, which had been just points to pass, were revived as places of solace for citizens.

L'ambiance lumineuse réconforte les citoyens

La ville de Saint-Étienne a engagé un plan de réaménagement urbain important, afin de se libérer de son image d'ancien site minier et de faire évoluer son image en ville de design.

Notre projet, retenu à l'issue du concours public, proposait l'ouverture de l'espace de la place située devant la mairie afin d'en permettre un usage multiple, grâce à la pose d'une série de mâts d'éclairage sur un de ses côtés. En collaboration avec l'urbaniste, il a été possible de disposer sous une rangée d'arbres des lampadaires à longue crosse éclairant toute la place et illuminant la végétation. Pour l'autre côté de la place, nous avons réalisé des mâts iconiques en partenariat avec des industries locales héritières d'un savoir-faire artisanal dans la métallerie et la verrerie colorée. Sur la place Dorian attenante, des lanternes en forme d'abat-jour émettant une lumière à teinte douce ont été suspendues pour créer une atmosphère intimiste. Cette place qui n'était plus qu'un lieu de passage a été revitalisée et a pu devenir un espace de détente pour tous les habitants.

事業主：サンテティエンヌ市
都市設計：オブラス
Client: The City of St Etienne
Urban Plannner: Obras

シャンティイ城 英国式庭園
English Garden, Domain of Chantilly
Jardin anglais, domaine de Chantilly

神話的象徴性を光で繙く

ヴェルサイユ城のモデルとして知られるパリ北部のシャンティイ城。その有名な庭園の設計者ル・ノートルの生誕400周年と、庭に面したラグジュアリーホテルのオープンに当たり、英国式庭園のライトアップに協力してほしい、という誘いがあった。随所に神話的要素が散りばめられた欧州のクラシック庭園ならではの象徴性を頼りに、「愛の島」の先端に立つ愛の神エロスと、向かい合う木立に佇む愛の女神ヴィーナスの像を、暖色系と寒色系の光で対比させたり、ヴィーナスのV字をかたどる樹木のライトアップを施したり、と光の表象を散りばめた。文化財指定されているため、歴史的建造物担当建築家の審査を受け、照明器具もなるべく庭の見栄えを損ねないよう、水中に埋め込むなどの工夫を凝らした結果、神秘的な夜景が楽しめるようになった。シックな夜景の中での結婚式が人気になっているそうだ。

Exploring mythical symbolism with light

Chantilly castle, located a little north of Paris, is known as a model of the Palace of Versailles. I was invited to cooperate in its light-up of the English Garden, which was to coincide with the opening of a luxury hotel and the 400th anniversary of the birth of this famous garden's designer Andre Le Notre. Relying on the symbolism quintessentially inherent in European gardens, which abound throughout with mythical elements, we adorned the garden with the symbols of light. We created a dynamic between the statues of Eros, god of love, standing at the edge of the "Island of Love" and Venus, goddess of love, residing among the facing copse of trees by conjuring up a contrast of warm colors against cool colors. We installed floodlights in the shrubbery to symbolize the letter V of Venus. Due to its listing as an important cultural asset, our proposal was examined by the architects in charge of the historic building. As a result of hiding the fixtures under water and using other tricks to ensure almost no part of the current state of the garden was diminished by the lighting equipments, it became possible to enjoy a mythical nightscape. Apparently, it has become a popular site for holding wedding ceremonies among the elegant lights.

Le symbolisme mythologique dévoilé par la lumière

Le château de Chantilly situé dans le nord de Paris est connu pour avoir été un modèle pour celui de Versailles. À l'occasion du 400ème anniversaire de la naissance de son créateur, le jardinier et paysagiste André le Nôtre, et de l'ouverture d'un hôtel de luxe situé juste en face du site, j'ai été sollicitée pour participer à la mise en lumière de son jardin anglais. En nous inspirant du symbolisme des jardins classiques à l'européenne mettant en scène des éléments de la mythologie, nous avons joué sur le face à face de la statue d'Éros, dieu de l'Amour, qui est placée à l'extrémité de l'Île de l'Amour, et de la statue de Vénus, son pendant féminin, située dans la rangée d'arbres juste en vis-à-vis. Nous avons exprimé le symbolisme par des jeux de lumière, et de contraste entre une lumière chaude et une lumière froide, ou la projection sur les arbres de la lettre V de Vénus… Le site étant classé, le projet était soumis à la validation des architectes des monuments historiques. Nous avons choisi une implantation des appareils qui ne dégrade en rien l'état du jardin, nous efforçant par exemple de placer les projecteurs dans l'eau. Tout ce contexte a finalement permis de rehausser cette atmosphère de mythologie élégante émergeant du paysage nocturne. Un décor apparemment idéal pour les cérémonies de mariage.

47

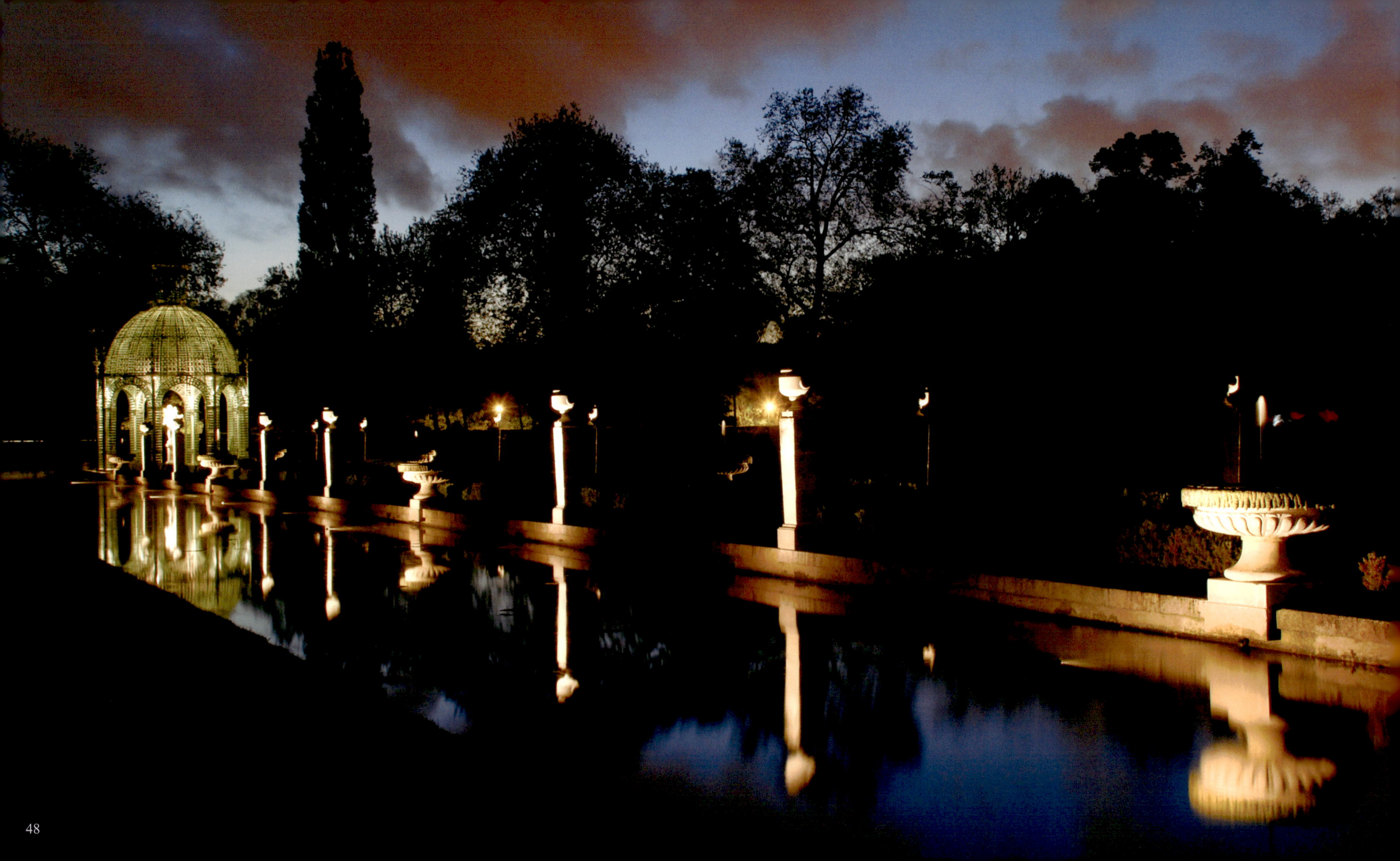

事業主：ドメイン・ド・シャンティイ
コラボレーション：マルク・デュマ
Client: The Domain of Chantilly
Collaboration with Marc Dumas

部分で全体を引き立てる

芦屋の自邸の庭をライトアップしてほしいとの依頼があり、すぐに現地へ足を運んだ。まだ建設工事が始まったばかりで雑木林の状態だったが、なるべく赤松を残すよう設計しているというだけあって、見事な樹形の松が点在しているのが印象的だった。ひっそりとした森に囲まれた住宅地には、煌々としたライトアップは似合わない。松の枝振りのみを引き立てる一点集中型の手法を思いついた。周囲の低木はその漏れた光で、充分すぎるほど闇に浮かび上がらせることができる。屋外照明は自動点灯し、22時には明るさが半減、深夜には消灯するよう設定し、自然のリズムに寄り添うようになっている。施主は帰宅すると家の明かりを消して、庭を眺めリラックスするようになったと聞く。癒やしの光が実現できた。

Using parts to accentuate the whole

I was asked to create a light-up for a residence in Ashiya, and I immediately visited the site. The construction had just begun and a wild forest was onsite. It was stated in the design to leave as many of the red pines as possible, and the scattering of splendidly formed pines was impressive. A bright light-up is not suitable for such a residential neighborhood nestled secretly in the forest. I went with an idea of using a technique of focusing only on the branches of the pines. That would leak more than enough light to allow the surrounding low-rise trees to emerge from the darkness. I set the equipment to light up automatically and then, at around 10 pm, for the brightness tUsing parts to accentuate the wholeo fade into half so that the light follows a natural rhythm and extinguishes by the middle of the night. Apparently, when the owners return home, they turn off the house lights and relax looking at the garden. In this project I was able to realize soothing light.

Mise en valeur de l'ensemble grâce aux détails

J'ai été contactée pour mettre en lumière un jardin privatif dans la ville d'Ashiya. M'étant rendue sur place immédiatement, je suis arrivée alors que les travaux de construction venaient tout juste de commencer. La végétation était encore sauvage, mais de splendides pins rouges se détachaient nettement dans le paysage. Leur magnifique présence m'a tout de suite frappée. Dans ce paisible quartier résidentiel cerné de forêts, un éclairage puissant n'aurait pas été adapté. J'ai eu l'idée d'utiliser une technique de projection ciblée pour mettre en valeur spécifiquement les branchages des pins. Ce procédé permettait une illumination des arbres alentours et les pins venaient se découper dans l'obscurité, grâce aux flux perdus. Afin de respecter le biorythme, j'ai installé un éclairage extérieur à déclenchement automatique et programmé une réduction de l'intensité lumineuse de moitié à partir de vingt-deux heures, puis une extinction complète à minuit. Je pense avoir réussi à créer un éclairage apaisant, car quand il rentre, le propriétaire aime à éteindre les lumières intérieures pour se détendre en admirant son jardin.

芦屋 山の家
Ashiya Mountain House
Maison de montagne Ashiya

建築：竹中工務店
Architect: Takenaka Corporation

夜の風景を切り取る「光屏風」

ある企業のゲストハウスが赤坂に建設され、その照明を任された。都心には贅沢な庭を見ながら食事を饗するのがコンセプトだという。であれば、室内照明はなるべく絞って天井に隠すなどガラス面に映り込まないように設置し、逆に外を明るくすることで、ライトアップされた庭をメインにできないかと考えた。建築家の理解で、室内照明を極力天井に隠した。門をくぐると控えめながら温かい雰囲気の明かりに誘導されて、軽やかなスラブとガラス張りの建物を通し、奥の庭が照らされているのが見える。明るい方へ自然に足を進め、2階に上がると、一面の嵌めガラスを通して「光屏風」が展開されている、という趣向だ。食事を始めると、照度が下がり、庭の緑がますます引き立って見えるようになる、という仕掛けも凝らされている。

"Screen of light" cutting out a piece of nightscape

A guest house for a company was constructed in Asakusa, and I was appointed to handle the lighting. The concept was to create an environment where guests could dine while enjoying the scene of the garden, a remarkable thing for the middle of Tokyo. To bring this off, I thought it would be necessary to integrate the interior lighting the ceiling to prevent reflections on the glass, and to make the outside lighting brighter than inside so that the lit-up garden becomes the main feature. I gained the architect's understanding, and all efforts were made to hide the interior lights. Coming through the entrance, our gaze is guided by the constrained but warm atmospheric light, then through the thin slab-and-glass structure and out onto the lit-up garden at the back. Naturally drawn toward the brightest point, we climb to the second floor, and peer through one pane of fixed glass like a Byobu (Japanese screen) scenery made of light. That was the idea. Light is dimmed down once dinner has started so that the green of the garden can be extensively accentuated.

« Paravent lumineux » découpant le paysage nocturne

On m'a confié l'éclairage d'une maison d'hôtes construite par une société japonaise dans le quartier d'Akasaka. Son architecture est centrée autour d'un luxe à Tokyo : on peut y dîner en admirant le jardin. Avec l'aval de l'architecte, j'ai opté pour un éclairage très discret à l'intérieur, composé de sources lumineuses dissimulées dans le plafond, ce qui permet d'éviter la réflexion sur les vitres et de mettre l'accent sur l'illumination extérieure, afin d'attirer le regard vers le jardin. Lorsqu'on pénètre dans l'entrée, on est enveloppé dans une atmosphère discrète et chaleureuse à la fois. Puis, on aperçoit le jardin illuminé en fond à travers la structure légère et le vitrage. Les pas se dirigent alors naturellement vers la lumière et quand on arrive à l'étage, c'est un paravent lumineux qui se déroule devant nos yeux à travers le fin vitrage. Au commencement du repas, on atténue le niveau d'éclairement intérieur pour faire ressortir progressivement la beauté de la végétation éclairée à l'extérieur.

赤坂 森の家 2
Akasaka Forest House 2
Maison dans la forêt Akasaka 2

建築：桑原聡建築研究所
Architect: Sathoshi Kuwabara

建築：プランテック総合計画事務所
Architect: Plantec

赤坂 森の家 1
Akasaka Forest House 1
Maison dans la forêt Akasaka 1

日本の四季を引き立てる光技
赤坂にある某企業のゲストハウスでは、白亜の建物から庭を一望できる。都心にいることを忘れるオアシスのような空間の中央には、見事な紅葉が移植されていた。「ライトアップしてみたが暗いので、改善できないか」と相談をいただいた。木立のグリーンをさわやかに見せる照明で、全景をライトアップするのに加え、紅葉のときだけ点灯する「紅葉ライト」を特別に設置し、季節に合わせて庭の表情をより引き立てるライティングを提供した。日本の四季を小さな庭に凝縮するような明かりができた。

Tricks of light emphasizing Japan's four seasons
At a guest house of a company in Akasaka, a garden can be viewed from a white building. In the center of an oasis-like space where one can forget it is central Tokyo, a splendid maple tree has been replanted there. I was consulted: "The light-up we attempted is too dark. Can you improve it?" In addition to lighting up the entire scene by clearly illuminating greens of the trees, I proposed lighting that matches the change of seasons to emphasize the garden's expressions by installing a special "maple light" that is switched on only during the fall. The result was a realization of lighting that condensed all of Japan's four seasons into a small garden.

Technique d'éclairage valorisant les saisons japonaises
Depuis le bâtiment en zinc blanc d'une maison d'hôtes appartenant à une entreprise japonaise dans le quartier d'Akasaka, on domine tout le jardin. Dans cette véritable oasis au milieu de la mégapole, on a planté un magnifique érable. J'ai été consultée pour améliorer la mise en lumière du jardin qui était trop sombre au goût du propriétaire. En illuminant tout le panorama pour mettre en valeur le vert vif des arbres, j'ai ajouté un éclairage spécial pour l'érable, actif uniquement en automne quand les feuillages changent de couleur, montrant ainsi les différents visages de la nature au gré des saisons. Ainsi, nous avons réussi à créer une lumière par laquelle sont condensées les quatre saisons japonaises dans les limites d'un petit jardin.

ジブチ・ホテル
Djibouti Hotel
Hôtel à Djibouti

建築設計施工：大成建設
コラボレーション：石井幹子デザイン事務所
Architect: Taisei Corporation
Collaboration with Motoko Ishii Lighting Design

照明デザインのインターナショナル・スタンダード
アフリカ東岸、紅海の入口に位置するジブチは、交通と軍事の要所として、現在も米仏などの国際部隊が駐留する小国である。インターナショナルなステータスのホテルを建設する必要に迫られ、日本企業が建設に当たった。ドバイでのご縁で、その外観ライトアップの基本デザインを手伝うこととなった。建築デザインを引き立て、かつ国際レベルのシックな印象をつくり出すため、光の色味や設置場所などを指定し、後は現地にお任せした。暫くして知り合った在仏ジブチ大使から、「ジブチにも素敵なホテルができて、綺麗にライトアップされているので、一度遊びに来てください」と言われた。内心「やった！」と思った。

International standard for lighting design
Located at the mouth of the Red Sea on the east coast of Africa, the small country of Djibouti is in an important location militarily and transport-wise, and currently it has an international military presence. Amid calls to realize a hotel of international status, the job of construction fell to a Japanese company. Through an old acquaintance in Dubai, we were called to help with the schematic design of the exterior light-up. We specified the color tones and the installation locations required to accentuate the architectural design and create an impression that had an international level of chic. Then we left the rest to the onsite construction team. Later, I was told by the Djiboutian ambassador to France, "We have built a wonderful hotel in Djibouti with a very pretty light-up. You should come pay a visit." On hearing this, I thought to myself, "Yes, we did it!"

Conception lumière de niveau international
Djibouti est un petit pays situé à l'embouchure de la mer Rouge, sur la côte Est de l'Afrique. C'est aussi un point de passage stratégique où stationnent encore actuellement les forces armées internationales. La construction d'un hôtel de standing international a été confiée à une entreprise japonaise. C'est une de nos connaissances de Dubaï, qui nous a contactées pour contribuer au design de l'éclairage extérieur. Nous avons fixé les teintes et les emplacements des appareils d'éclairage, afin de mettre en valeur l'élégance du bâtiment, avant de nous en remettre à l'équipe de construction, pour la réalisation. Plus tard, l'ambassadeur de Djibouti en France me raconta qu'un bel hôtel avait été construit et qu'il m'invitait à venir voir son magnifique éclairage …J'ai souri intérieurement, j'avais la preuve de ma réussite !

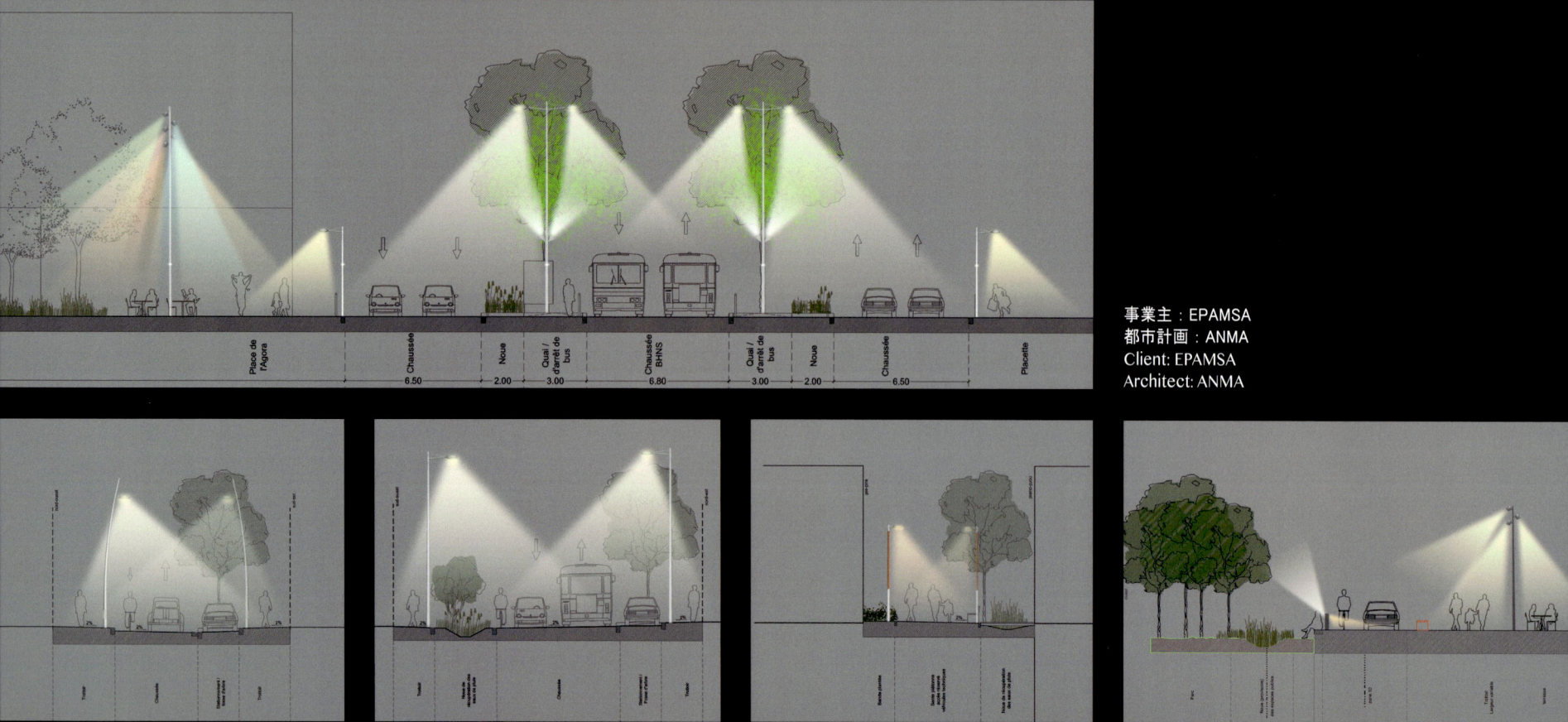

事業主：EPAMSA
都市計画：ANMA
Client: EPAMSA
Architect: ANMA

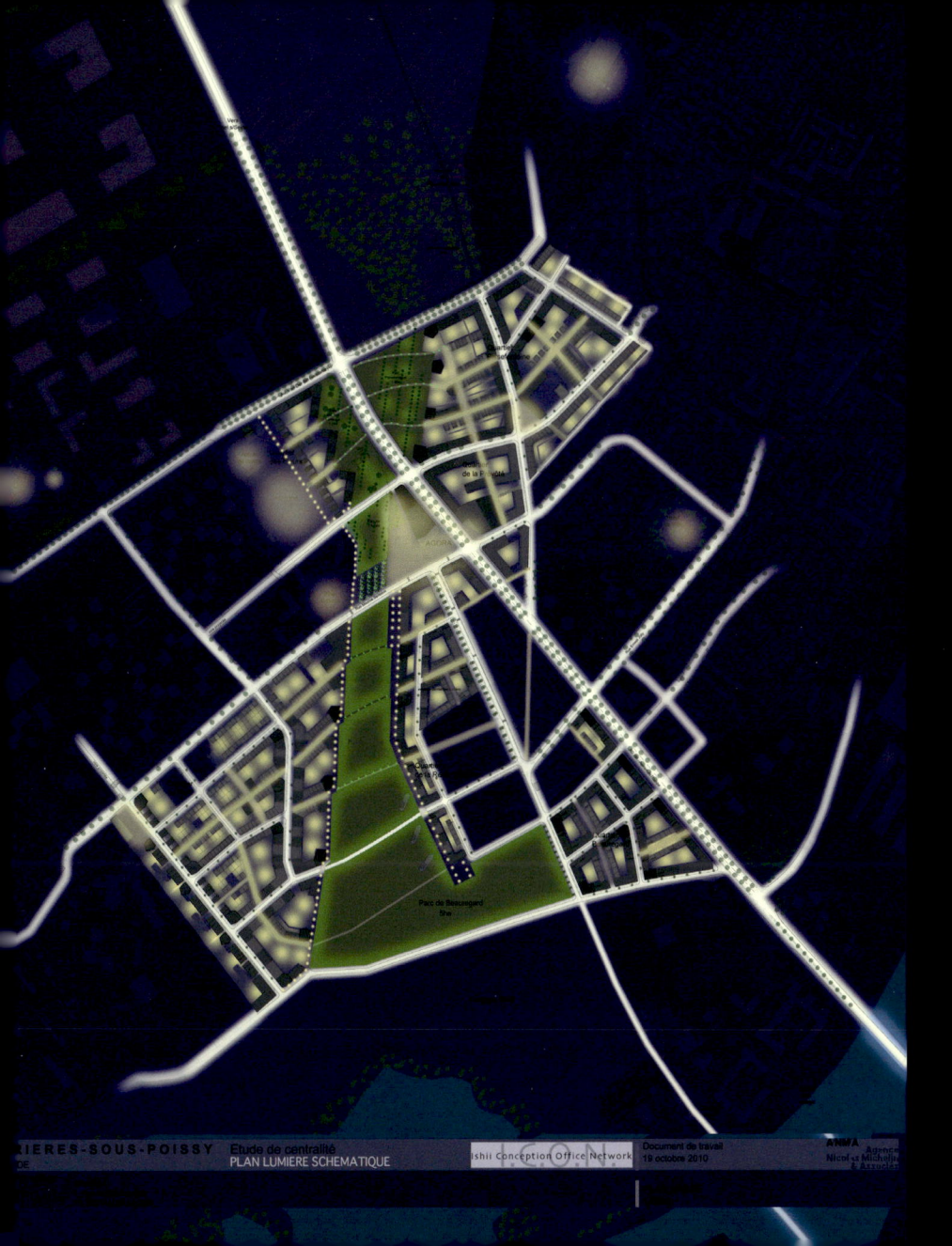

キャリエール・ス・ポワシー新中心開発計画
Lighting Master Plan for ZAC Carriere-sous-Poissy
Plan lumière, ZAC de Carrière-sous-Poissy

都市照明の理想を考える

パリ郊外の西に位置するこの地に新街区が計画されている。ZACと呼ばれるこうした都市計画がフランスでは今非常に盛んで、私もいくつものプロジェクトに携わっているが、工期が10年以上に及ぶケースもあり、都市づくりの規模の大きさを物語る。新都市のために照明マスタープランをトレースする機会などほとんどないが、こうした計画は、理想的な都市照明の在り方を考え直す貴重なチャンスを与えてくれる。またその論理を実践する格好のケースともなる。ZACキャリエールは、マスタープランをしっかりと作成したところまでこぎつけた。現在インフラ整備が進んでいる。

Considering ideals for urban lighting

A new residential area is being planned on this land located in the western suburbs of Paris. This type of urban redevelopment, called ZAC, is planned very frequently in France, and we are involved in several projects. These are always long projects, with construction periods extending beyond 10 years in some cases. Nowadays, there are next to zero opportunities to trace a lighting master plan for an entire city from a scratch. Nevertheless, plans such as these provide precious chances for us to rethink how city lighting should be idealistically. It also provides perfect case study to develop these theories in practice. ZAC Carrieres has just formulated the master plan and infrastructural preparation is currently underway.

Réflexion sur un idéal d'éclairage urbain

Le plan de développement d'un tout nouveau quartier est en cours dans cette ville de la banlieue ouest de Paris. Ce type d'urbanisme appelé ZAC étant très développé en France, nous avons déjà été impliqués dans plusieurs projets de ce genre, qui sont tous des programmes à long terme dépassant parfois les dix ans de travaux. Les opportunités sont très rares de réaliser le schéma directeur d'une ville entière, et ce sont des occasions inestimables pour réfléchir aux solutions idéales à ce genre d'échelle. C'est aussi la possibilité de transformer un raisonnement tracé sur papier en une forme concrète. Actuellement l'infrastructure est en cours d'aménagement sur le site.

ヴァラントン ジャック・デュクロ公園周辺地域再開発計画
Jacques Duclot Park, Valenton
Parc Jacques Duclot, Valenton

事業主：ヴァラントン市
都市計画・ランドスケープ：HYL
Client: The City of Valenton
Landscape Design: HYL paysagistes

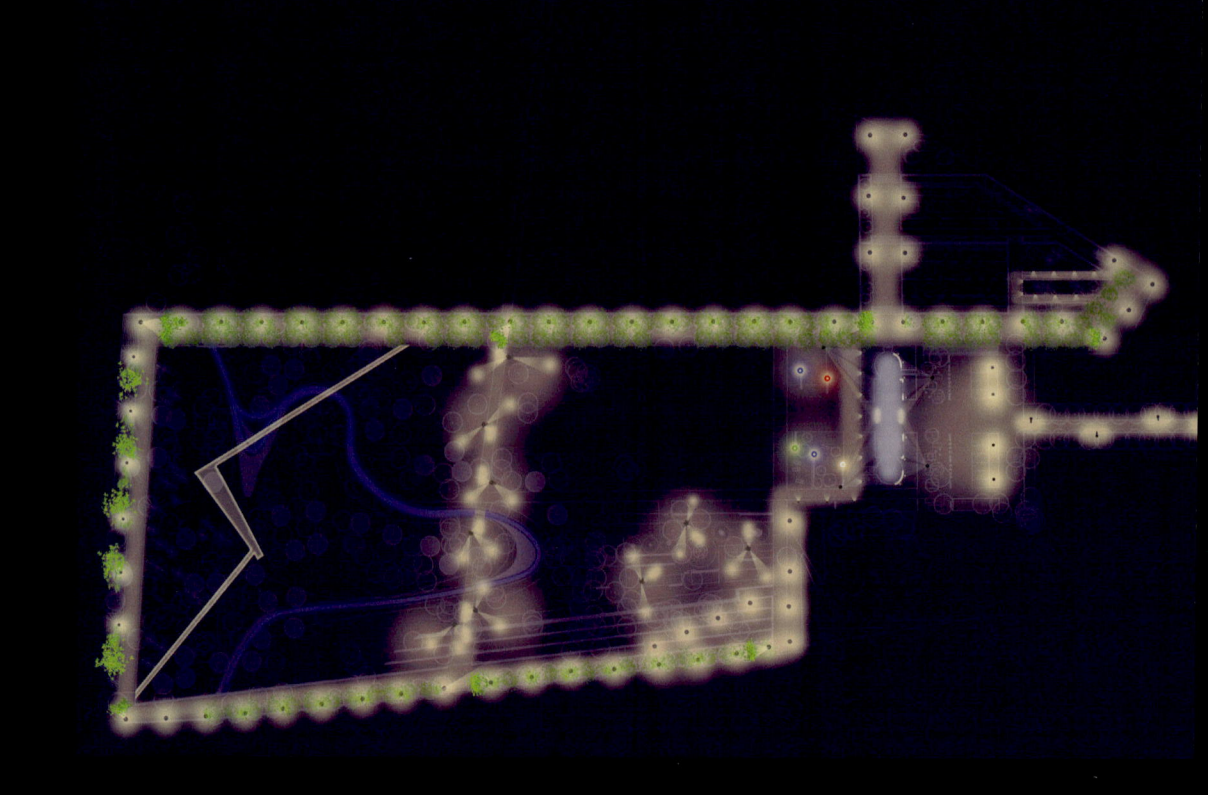

通り抜ける光のプロムナード・パーク

パリ郊外のヴァラントン市には、中心部に古城を囲む公園がある。これまで、市街地を分断する形になっていたこの区画を、親しみやすい市民公園にリニューアルすると同時に、通り道として活用できるよう再計画が進んでいる。区画整理のため計画は長年に渡るが、まずはマスタープランを作成して全体の計画概要を整理・方向付けた。城の格調と公園としてのカジュアルさを両立させ、さらにプロムナードとして魅力ある光環境を目指して、目下、第1区画の実施設計が進んでいる。

A promenade park with light

Valenton is a city located in the suburbs of Paris that has a park surrounding an old castle at its center. The city has been proceeding with redevelopment plans for this block, which up until now had divided the town into two, by creating a welcoming ambience, and at the same time, establishing thoroughfare access. Due to the procedures necessary for block reorganization, the project is being carried out over many years. As a first step, a master plan has been set up to give the general direction. The No. 1 Block Execution Plan is currently in progress, which aims to create more charming light environments as promenades, striking a balance between the stylish and the casual.

Un parc-promenade de lumière

Le centre-ville de Valenton, dans la banlieue de Paris, est traversé par un parc entourant un ancien château qui divise la commune en deux parties. Un projet de réaménagement a été programmé pour rénover le parc tout en le transformant en un espace accueillant et un lieu de passage agréable.
Les formalités pour l'initiation du projet demandant de nombreuses années, un plan lumière a été établi en amont pour fixer l'orientation générale : réaliser une ambiance lumière qui incite à la promenade, créant un bel équilibre entre le raffinement côté château et l'intimité côté parc. Les travaux du premier secteur sont actuellement en cours.

マクロとミクロ・スケールを取り入れた光計画
2006年秋、ヘルツォーグ&ド・ムラン事務所から、この大プロジェクトに参加してほしいと誘いがあり、すぐに、事務所のあるスイスのバーゼルに飛んだ。そこで、スペイン中部のブルゴスが、伝統的な巡礼都市からの脱皮を図るための大々的な計画を打ち出した。市内を貫く大通り沿いに、住宅や公園、ビジネス街などを散りばめる壮大なプロジェクトが打ち出され、照明プランの協議を重ね、現地にも赴いてマスタープランを作成した。ところが、ここで経済危機が訪れ、計画は2007年半ばに中断。再開後、建築家自らがデザインした街灯が、夜空を彩る計画が実現された。

The Role of Light in a Urban Image

In autumn of 2006, Herzog & de Meuron invited me to collaborate with on this big project. I travelled to Basel, Switzerland, where the discussions for the grandiose plan to realize a renewal from a Spanish traditional pilgrimage town was thrashed out. The project consisted of creating residential areas, parks, business zones etc. along the main boulevard in the town. A visit to the site was made, and a master plan was prepared. But then, the country was hit by the economic crisis. The plan was interrupted half way through 2007. After the plan recommenced, the street lights designed by the architects and the plan to color the night sky was realized.

Rénover l'image d'une ville à travers la lumière

A l'automne 2006, Herzog & de Moeuron m'a invité pour collaborer sur ce grand projet. Je me suis rendu toute suite à Bâle, Suiss, où nous avons commencé par analyser les détails du plan de rénovation à grande échelle de la ville de pèlerinage traditionnel du centre de l'Espagne. Le projet d'urbanisme consistait à créer un quartier résidentiel, des parcs, une zone d'affaires etc., le long du boulevard principale de la ville. Puis, nous nous sommes rendus sur place pour réaliser le schéma directeur, mais la crise économique qui a frappé l'Espagne nous a amené à interrompre le projet en 2007. Plus tard, à sa reprise, l'éclairage nocturne a finalement été réalisé avec des lampadaires dessinés par les architectes eux-mêmes.

ブルゴス・ブルバール照明マスタープラン
Burgos Boulevard - Lighting Master Plan
Burgos Boulevard - Plan lumière

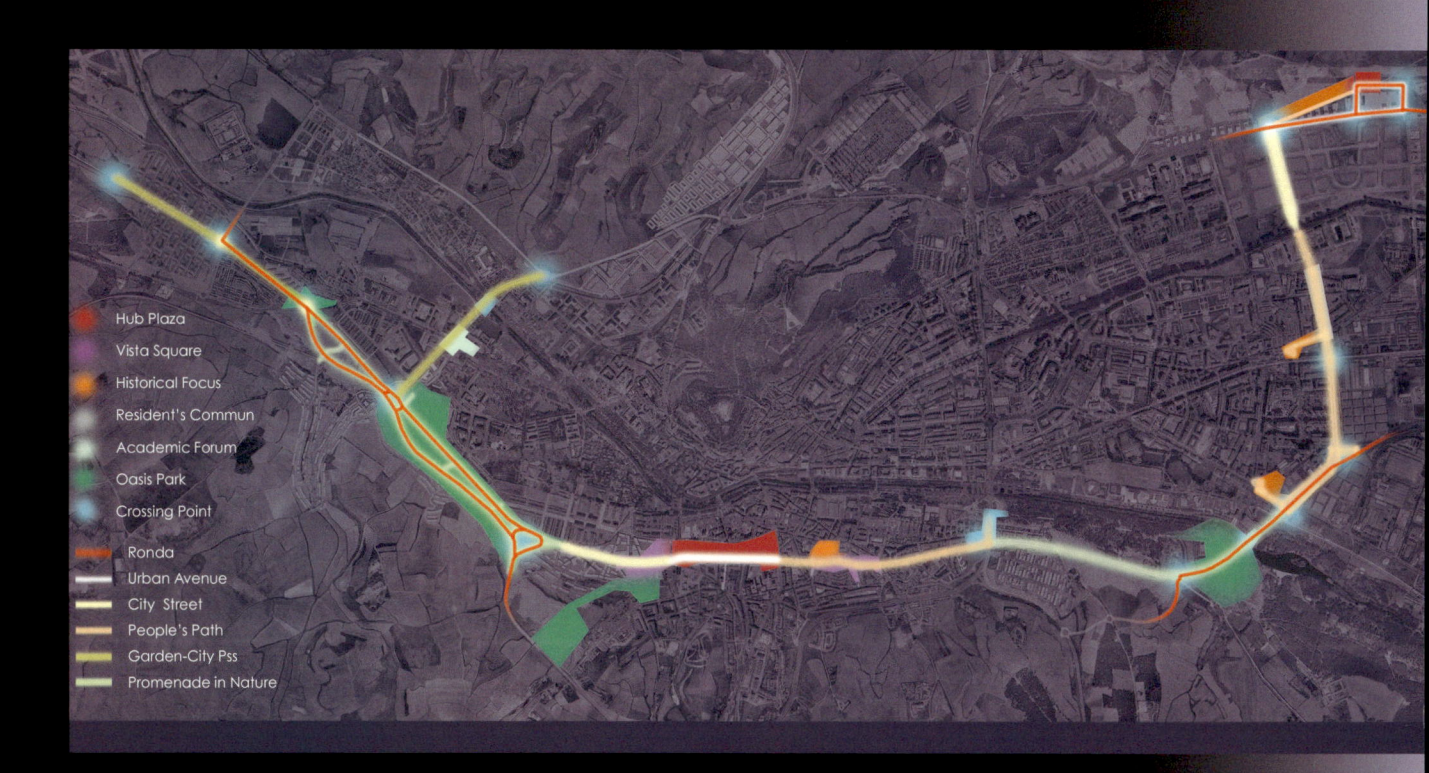

主催：ブルゴス市
建築：ヘルツォーグ&ド・ムラン
Client: The City of Burgos
Urban Planner: Herzog & de Meuron

イベント照明
Event Lighting
Eclairage Evénementiel

TRAN*JS*

光のインタラクティブな文化交流
日本・スイス国交樹立150周年を記念して、2014年9月にスイスの首都ベルンにある国会議事堂前広場で光イベントを開催した。当初、議事堂の壁面にプロジェクション・マッピングする案を考えていたが、国会から許可が下りなかったことを逆手にとって、「次の表現方法にチャレンジしよう」と模索し、世界最大の屋外インタラクティブ映像パフォーマンスをつくり出すことにした。日本にとりわけ興味がないベルンの一般市民にも、日本の美術や技術に親しんでもらえるよう、昼間は特設テントで最新テクノロジーを展示、日没後のプロジェクションには、約150年前頃に描かれた浮世絵をベースに、そこに足を踏み入れると、足下から水の波紋が広がったり、金魚が逃げていったりするインタラクティブ効果が楽しめる工夫を凝らした。オリジナル・サウンドも相乗効果を発揮し、イベントは大好評。ベルンの人口の13人に1人が、この機会に光と戯れ、日本の文化に親しんでくれたことは本望である。

Interactive light for cultural exchange
To celebrate 150 years of diplomatic relations between Japan and Switzerland, a light event was held at the Federal Palace plaza in the Swiss capital city of Bern in September 2014. Initially, we proposed to produce projection mapping on the wall of the Federal Palace, but as the federal parliament did not grant permission, we thought, "Let's challenge ourselves to the next method of expression." and came up with an idea for the world's largest outdoor interactive image projection. So that the average citizen of Bern who had no particular interest in Japan could enjoy the art and technology of our country, we displayed the latest technology in specially setup tents in the daytime. Then, for the projection after sundown, using images of ukiyo-e that had been painted about 150 years ago as the base, we designed interactive effects of ripples of water banding outwards from the footprint. The original sound also served to provide a synergistic effect, and the event was tremendously popular. We were very satisfied with the result of about one in thirteen of the population of Bern taking this opportunity to play with light and become more familiar with Japanese culture.

Une lumière interactive pour l'échange culturel
anniversaire des relations diplomatiques entre la Suisse et le Japon, nous avons organisé un événement lumière sur la place du Parlement à Berne. Initialement, nous avions envisagé un vidéo mapping sur sa façade. N'ayant pu obtenir d'autorisation, nous avons choisi de transformer cet échec en réussite en trouvant un autre moyen d'expression. C'est ainsi qu'est née la plus grande projection interactive en extérieur au monde. Afin de faire apprécier l'art et la technique nippons à une population bernoise n'ayant pas forcément d'intérêt particulier pour notre pays, nous avons organisé pendant la journée une exposition présentant la technologie dans des tentes dressées spécialement pour l'évènement. À la tombée de la nuit, les effets interactifs ont été réalisés sur fond d'Ukiyo-e (estampes créées il y a environ 150 ans). Par exemple lorsqu'un spectateur pose son pied sur l'image, des ondes concentriques s'agrandissaient comme à la surface de l'eau. Une bande sonore originale avait été composée spécialement pour la manifestation, assurant son plein succès. Un habitant sur treize est venu jouer avec la lumière et découvrir la culture japonaise à cette occasion, ce qui a comblé nos attentes.

主催：日本・スイス国交樹立150周年記念光イベント実行委員会
後援：在スイス日本大使館
特別協力：文化庁
助成：国際交流基金
協賛：東海旅客鉄道株式会社　パナソニック株式会社　シチズン時計株式会社
協力：東京国立博物館　光文化フォーラム
企画・プロデュース：石井幹子＆石井リーサ明理
実施デザイン：石井幹子＆石井幹子デザイン事務所　石井リーサ明理＆I.C.O.N.
Organized by the Executive Committee for Lighting event Commemorating the 150th Anniversary of the Establishment of Diplomatic Relations between Switzerland and Japan
Supported by the Embassy of Japan in Switzerland
Special Cooperation: Agency for Cultural Affairs, Government of Japan, the Japan Foundation
Sponsors: Central Japan Railway Company, Panasonic Corporation, Citizen Watch Co., Ltd.
Cooperation: Tokyo National Museum, Inter Light Forum
Produced by Motoko Ishii & Akari-Lisa Ishii
Lighting Design by Motoko Ishii Lighting Design & I.C.O.N.

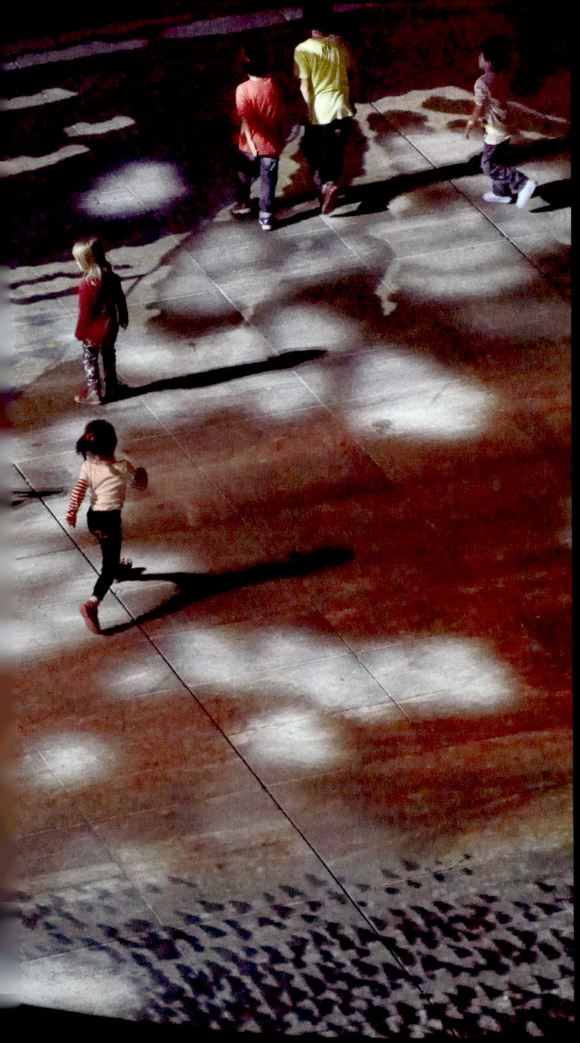

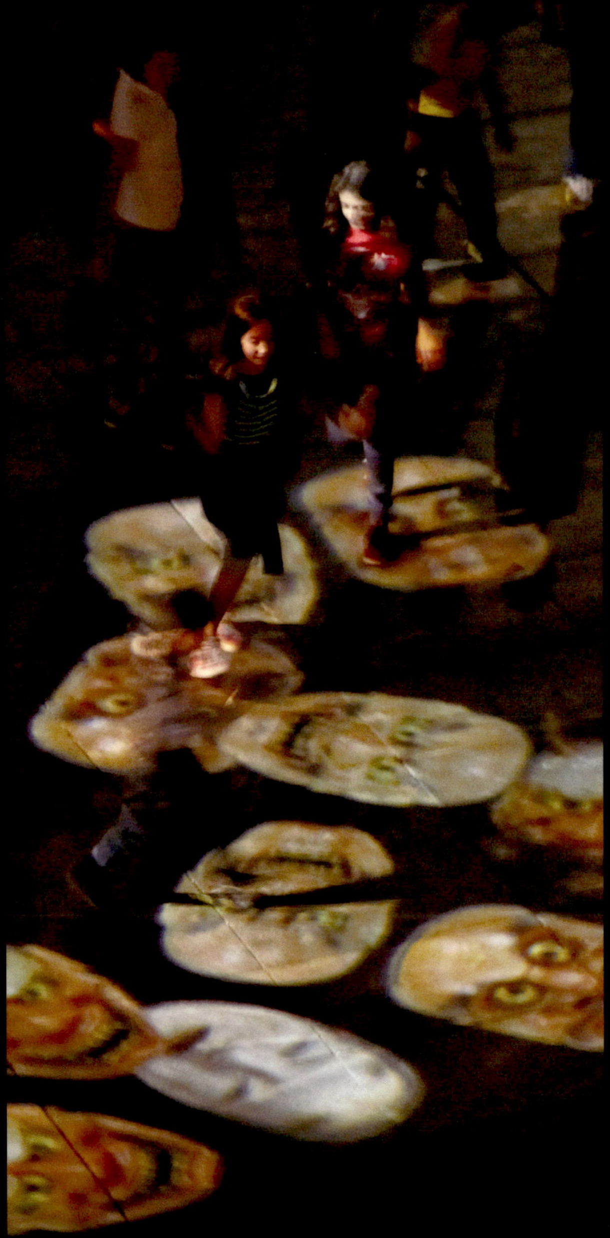

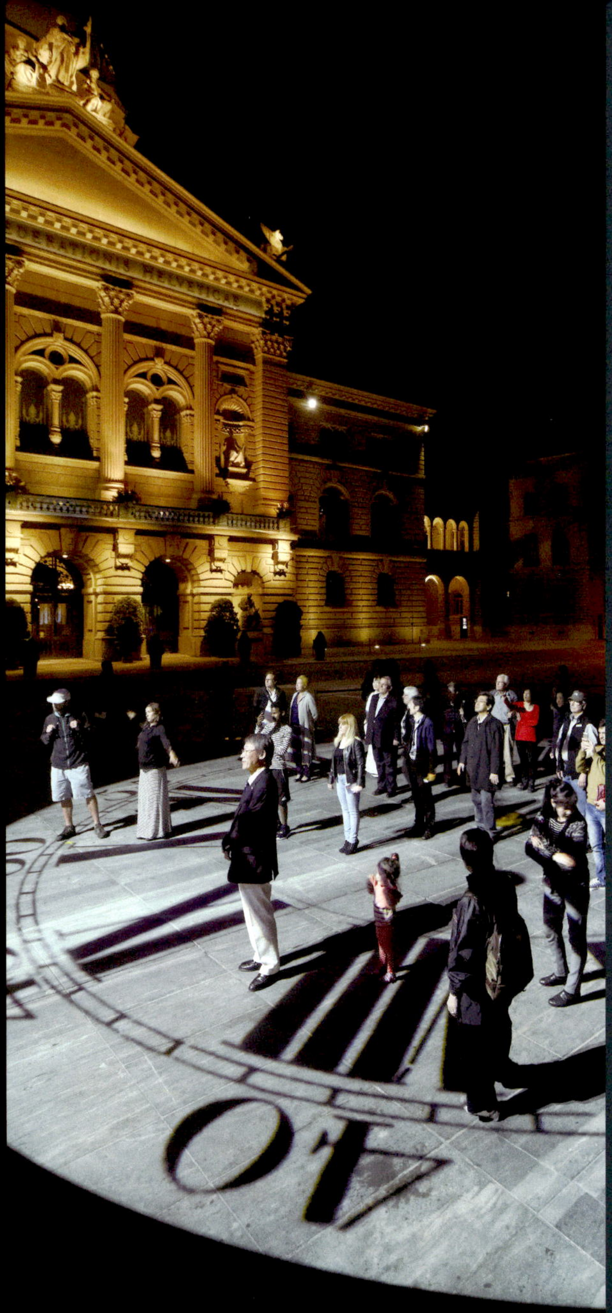

平和の光のメッセージ
Light Message for Peace, Berlin
Messages de lumière pour la paix, Berlin

日独の歴史を反映する光のメッセージ

パリで行った壁面プロジェクションのイベント（次項に掲載）を見た在ドイツ日本大使館から、2011年の日独交流150周年に、同じことをやってほしいと依頼をいただいた。ところが、ベルリンに行ってみると、なんと「ベルリンの壁」崩壊後、大した壁がないことに気が付いた。そこで、折角なら、ただ光で祝祭のパフォーマンスをするだけでなく、両国の、特にドイツの首都ベルリンの歴史に鑑みた強いメッセージを光で発することができないかと考え、東西分裂の象徴だったブランデンブルク門に平和について訴えるプロジェクションを映写することを提案した。折しも、2011年はベルリン・オリンピック75周年でもあり、現在の五輪参加国の公用語48カ国語で「平和」を意味する言葉を集め、「協調」のテーマであるベートーベンの第九交響曲をリミックスしたオリジナル音楽に合わせて、世界を旅する映像シナリオや、浮世絵のオムニバス映像をつくり上げた。周年事業の中でも最大級の催し物として、ベルリンの人々や観光客の喝采を浴びた。ベルリン・オリンピックに出場した先人を持つ私達にとって、思い入れの深いプロジェクトだった。

Light messages reflecting the history of Japan and Germany

The Japan Embassy in Germany saw the wall projection event (see next chapter) held in Paris and requested that the same event be held in 2011 to commemorate the 150th anniversary of the diplomatic relationship between Germany and Japan. Incidentally, we paid a visit to Berlin, but discovered that since the collapse of the Berlin Wall, there is no wall big enough for the event. We thought that if we were going to this extent of effort, then rather than just presenting a celebratory performance, surely it would be meaningful to use light to issue a powerful message for both countries, particularly for the German capital of Berlin in light of its history. We therefore proposed to show projections that appeal to peace on the Brandenburg Gate, a symbol of East and West divide. As 2011 was the 75th anniversary of the Berlin Olympics, we compiled messages meaning "peace" written in the 48 official public languages of all of the current participants in the Olympics, and combining this with original music created by remixing Beethoven's Ninth Symphony known for theme of "cooperation." We created image scenarios of traveling the world and omnibus images of ukiyo-e. As one of the highest classes of events throughout the anniversary year, it was much applauded by Berliners and tourists. For us, it was a project with deep emotional attachment as we have an ancestor who competed in the Berlin Olympics. The electricity used in the event was produced entirely using clean energy. For part of the event, we used solar panels that were generating electricity onsite.

Messages de lumière reflétant l'histoire de l'Allemagne et du Japon

Nous avons été contactées par l'ambassade du Japon en Allemagne, qui avait remarqué une de nos projections sur la Seine, à Paris (décrite plus loin). Ils souhaitaient la reproduire pour les 150 ans des relations diplomatiques entre l'Allemagne et le Japon, en 2011. Ce n'est qu'en nous rendant à Berlin, que nous avons réalisé qu'il ne restait plus de grandes surfaces murales utilisables depuis la chute du mur. Touchée par ce contexte, j'ai alors imaginé de ne pas nous limiter à un spectacle lumineux célébrant une fête, mais d'utiliser la lumière pour faire passer un message fort, inspiré tout particulièrement de l'histoire de la capitale allemande et de celle des deux pays. Nous avons donc proposé une projection autour du thème de la paix sur la porte de Brandebourg, monument symbolique de la division Est-Ouest. Comme le 75ème anniversaire des Jeux Olympiques de Berlin était aussi célébré cette année-là, nous avons écrit le mot Paix dans les 48 langues des pays officiellement participants, pour créer une oeuvre vidéo dont le scénario a fait un tour du monde. Des visuels d'Ukiyo-e ont aussi été utilisés. La projection a été accompagnée par une bande sonore originale basée sur un remix de la Neuvième Symphonie de Beethoven, pièce connue pour son thème de la fraternité. Cette manifestation, considérée comme une des plus remarquables organisée durant cette année de commémoration a reçu l'ovation des Berlinois autant que des touristes. Pour nous qui possédons des ancêtres ayant participé aux Jeux Olympiques de Berlin, ce fut un projet très émouvant à réaliser. Une partie de la production électrique était issue de panneaux solaires installés sur le site.

paz
Frieden
pau
spokoj
paix
平和
へいわ
السلام
мир
pokój
taika
pace
ειρήνη
peace
tinchlik
שלום
vrede
miers
amani
siócháin
rauha
和平
paci
fred
Hòa bình
амгалан
béke
friður
صلح
शान्ति
paqu

主催：日独交流150周年記念
　　　〈平和の光のメッセージ〉実行委員会
後援：在ドイツ日本大使館
支援：文化庁
協賛：三菱商事株式会社
　　　パナソニック株式会社
協力：国際交流基金　葛飾北斎美術館
　　　光文化フォーラム
プロデュース：石井幹子＆石井リーサ明理
実施デザイン：石井幹子＆石井幹子デザイン
　　　　　　　事務所　石井リーサ明理＆I.C.O.N.

Organized by Executive Committee for Event Commemorating the 150th Anniversary of the Relationship between Germany and Japan " Light Message for Peace"
Supported by the Embassy of Japan in Germany, Agency for Cultural Affairs, Japan
Sponsors: Mitsubishi Corporation, Panasonic Corporation
Cooperation: The Japan Foundation, Katsuhika Hokusai Museum of Art, Inter Light Forum
Produced by Motoko Ishii & Akari-Lisa Ishii
Lighting Design by Motoko Ishii Lighting Design & I.C.O.N.

イベントに使われた電力は全てクリーン・エネルギー。
一部は、太陽光パネルを使用し、現場で発電されたもの。
For part of the event, we used solar panels that were generating electricity onsite.

ラ・セーヌ——日本の光のメッセージ
Messages of light from Japan on the Seine
Messages de lumière du Japon sur la Seine

主催：〈日仏交流 150 周年記念プロジェクト〉
　　　ラ・セーヌ——日本の光のメッセージ実行委員会
後援：在フランス日本国大使館
特別協賛：松下電器
協賛：JR 東海　関西電力　サントリー　曙ブレーキ工業
助成：笹川日仏財団
特別協力：東京国立博物館　国際交流基金　NHK
協力：全日本空輸　バトームッシュ・ポン・ド・ラルマ
　　　虎屋　光文化フォーラム
総合プロデュース：石井幹子
光のデザイン：石井幹子＆石井幹子デザイン事務所
　　　石井リーサ明理＆ I.C.O.N.

Organized by Project Commemorating 150th Anniversary of Japan-France Friendship, La Seine-Light Messages from Japan Executive Committee
Supported by the Embassy of Japan in France
Special Spoonsor: Panasonic
Sponsors : Central Japan Railway, The Kansai Electric Power, Suntory, Akebono Brake Industry
Subvention: Fondation Franco-Japonaise Sasakawa
Collaboration: All Nippon Airways, Bateaux-Mouches Pont de l'Alma, Toraya Confectionery, Inter Light Forum
Produced by Motoko Ishii
Lighting Design by Motoko Ishii Lighting Design & I.C.O.N.

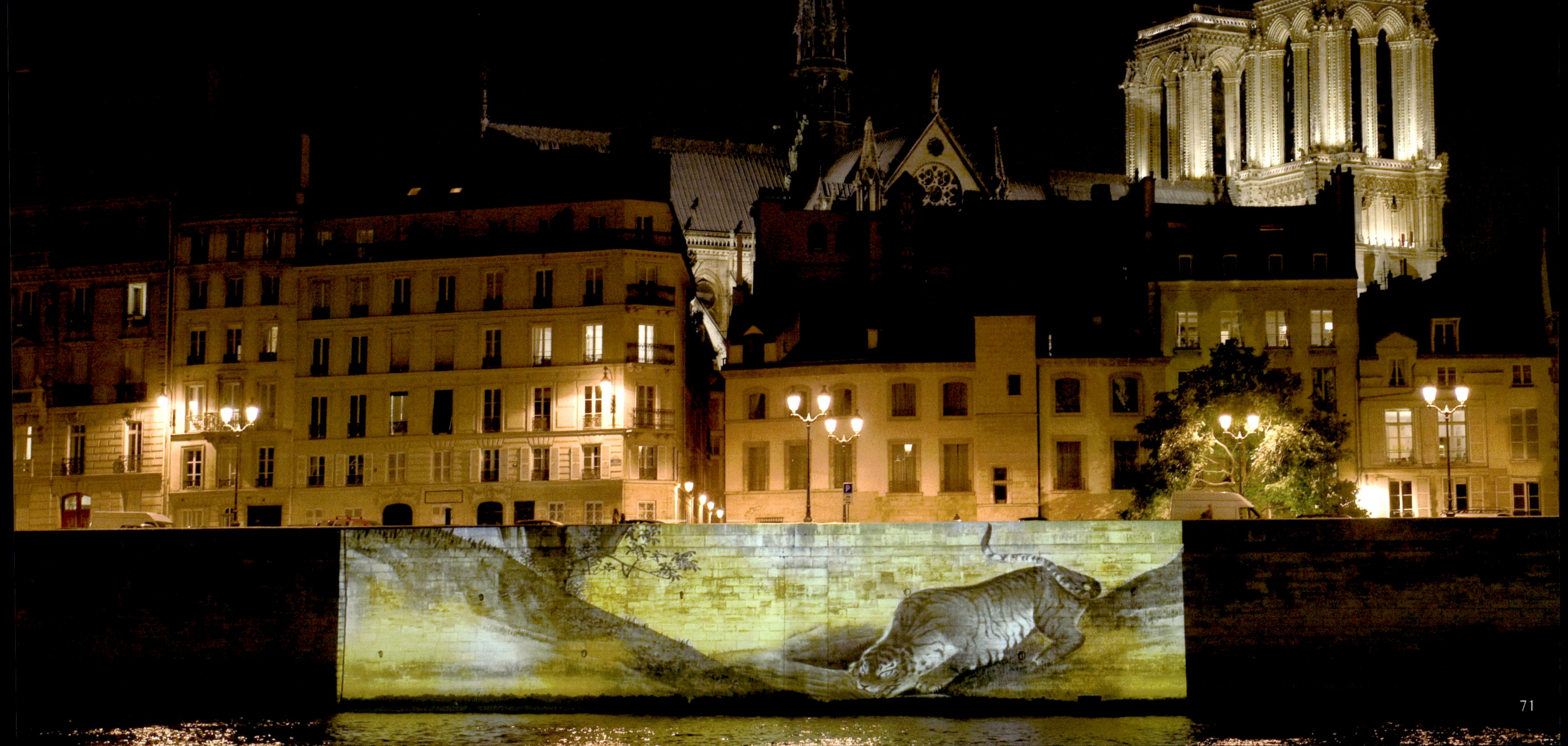

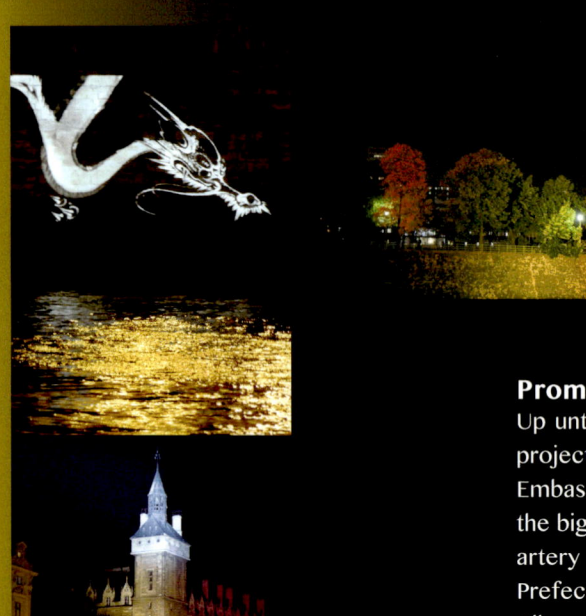

都市スケールで和をアピール

これまで各国で周年事業光イベントを手がける機会に恵まれたが、その最初の例となったのが、この2008年9月に開催された日仏交流150周年記念光プロジェクトであった。「記念の年に何か光でパフォーマンスができませんか」と在仏日本大使館からお声掛けがあり、パリの大動脈であり、多くのパリジャンが日々目にするセーヌ川の河畔で、壁面プロジェクションと25の橋のライトアップを行うという大構想を考えた。ところが、その許可集めの大変だったこと。パリ警察、パリ市歴史的建造物管理課、河川警察、パリ港湾など、10カ所以上の許可をひとつひとつ訪ね説明し、頼み込んで取得した。日本では考えられない複雑さと手続きの遅さ。最終の許可が下りたのは、前日のリハーサル後だった。幸い4日間、奇跡的な晴天に恵まれ、国宝級の日本美術品150点からなるオリジナル映像作品を、邦楽と現代のリズムをリミックスしたオリジナルサウンドに乗せて、セーヌの護岸に映写、日本の四季をテーマとしたカラーライトアップを橋に照射するなど、パリ全体を網羅する大規模な光の作品を展開することができた。

Promoting the appeal of Japan on a city-wide scale

Up until now, we have participated in anniversary project lighting events in various countries. But the very first of these events was the light project for the event commemorating the 150th anniversary of the friendship between France and Japan that was held in September 2008. The Embassy of Japan in France had asked: "Would it be possible to give some kind of light performance for the anniversary year?" We thought of the big concept of staging light-ups using wall projections along the banks of the river Seine, along which many people pass by daily as a major artery of Paris, and light-ups on 25 of the river's bridges. It was however extremely difficult to collect all the permissions. I had to go to the Prefecture of Police of Paris, Paris City Council Office of Historical Building Management, River Police, Paris Harbor Authority, and so forth. All up, I had to go to more than 10 locations, give the explanation anew and then file a request. It is a level of complexity and bureaucratic slowness that would be incomprehensible in Japan. I received the final permission just after the rehearsal on the day before the event. Luckily the entire four days miraculously had clear weather. We projected an original video art composed with 150 Japanese art works of National-Treasure class on the river walls, illustrated by the original sound remixed from traditional Japanese music and contemporary rhythm, and we shone color light-ups based on the theme of Japan's four seasons onto the bridges to realize a city-scale light works that encompassed the whole of Paris.

Révélation de l'esprit japonais à l'échelle urbaine

Nous avons eu la chance de réaliser des évènements de lumière liés à des projets commémoratifs dans de nombreux pays du monde. Notre toute première réalisation de ce genre a été pour la célébration du 150ème anniversaire des relations diplomatiques entre la France et le Japon. L'ambassade du Japon en France nous avait demandé de réfléchir à une manifestation lumineuse. Enthousiastes, nous avons imaginé une projection sur les rives et l'illumination des vingt-cinq ponts de la Seine, l'artère de la ville. Cependant nous n'avions aucune idée des difficultés qui nous attendaient… Pour obtenir les autorisations, il nous a fallu expliquer le projet et formuler nos demandes à plus de dix organisations : la police municipale, le service de la conservation des monuments historiques, la brigade fluviale, le Port autonome de Paris, etc… Notre équipe japonaise a été aussi étonnée et qu'inquiète de la complexité des procédures ! La dernière autorisation nous a été délivrée après la répétition finale, la veille de l'événement. Durant ces quatre journées très intenses, nous avons eu la chance d'avoir un ciel totalement dégagé. Des créations visuelles inédites, inspirées d'un ensemble de 150 œuvres faisant partie du trésor national japonais, ont été projetées sur les digues, accompagnées d'une bande son originale mêlant tradition japonaise et rythmiques contemporaines. Les saisons japonaises reflétant leurs teintes sur les ponts de Paris, ce sont d'immenses créations lumineuses qui ont irradié la ville entière.

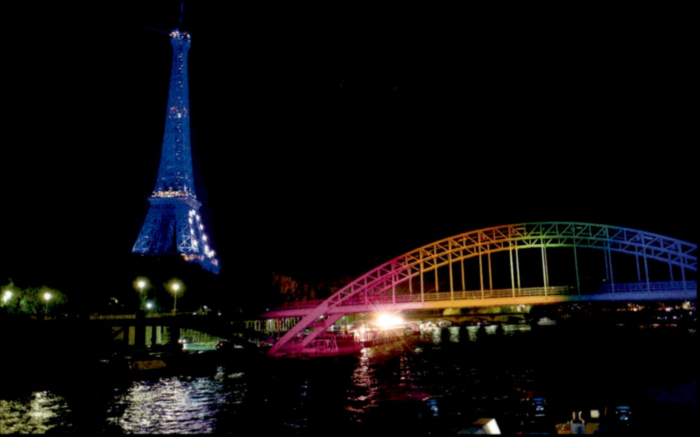

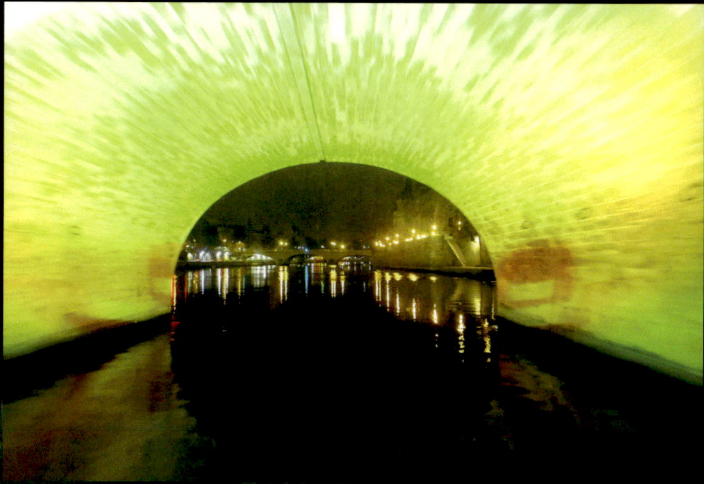

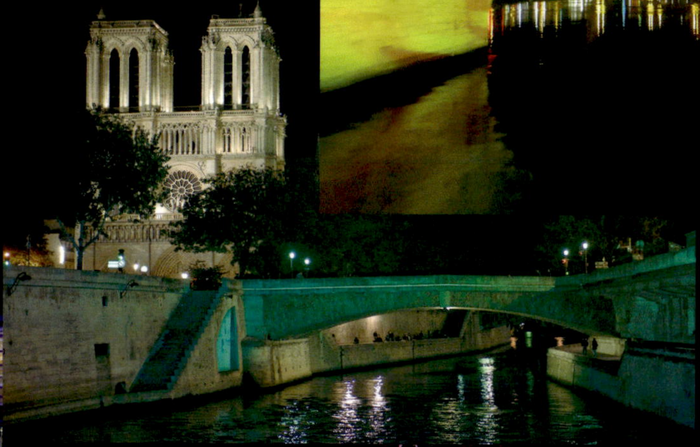

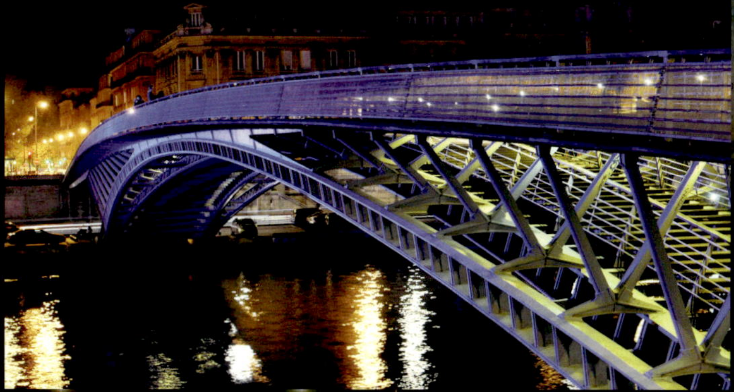

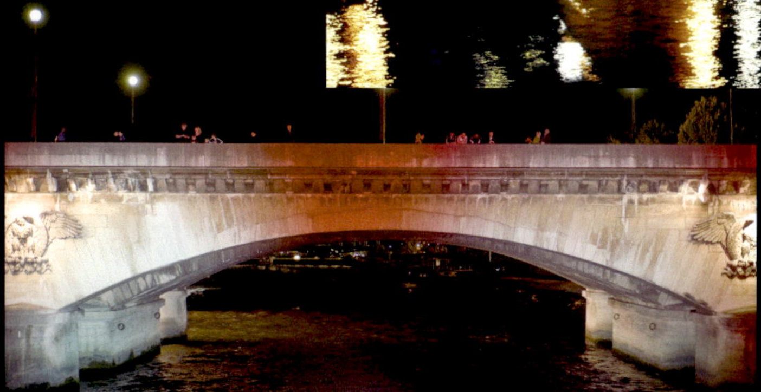

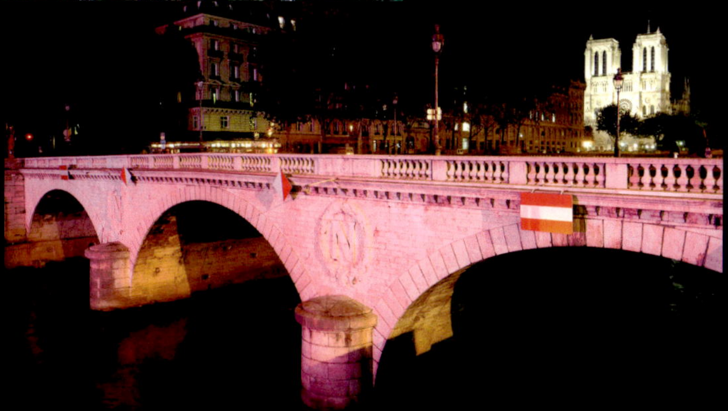

リヨン光の祭 2006「光の装い」
Festival of light 2006, "Light Jewelry", Lyon
Fête des Lumières 2006, "Parures de Lumière", Lyon

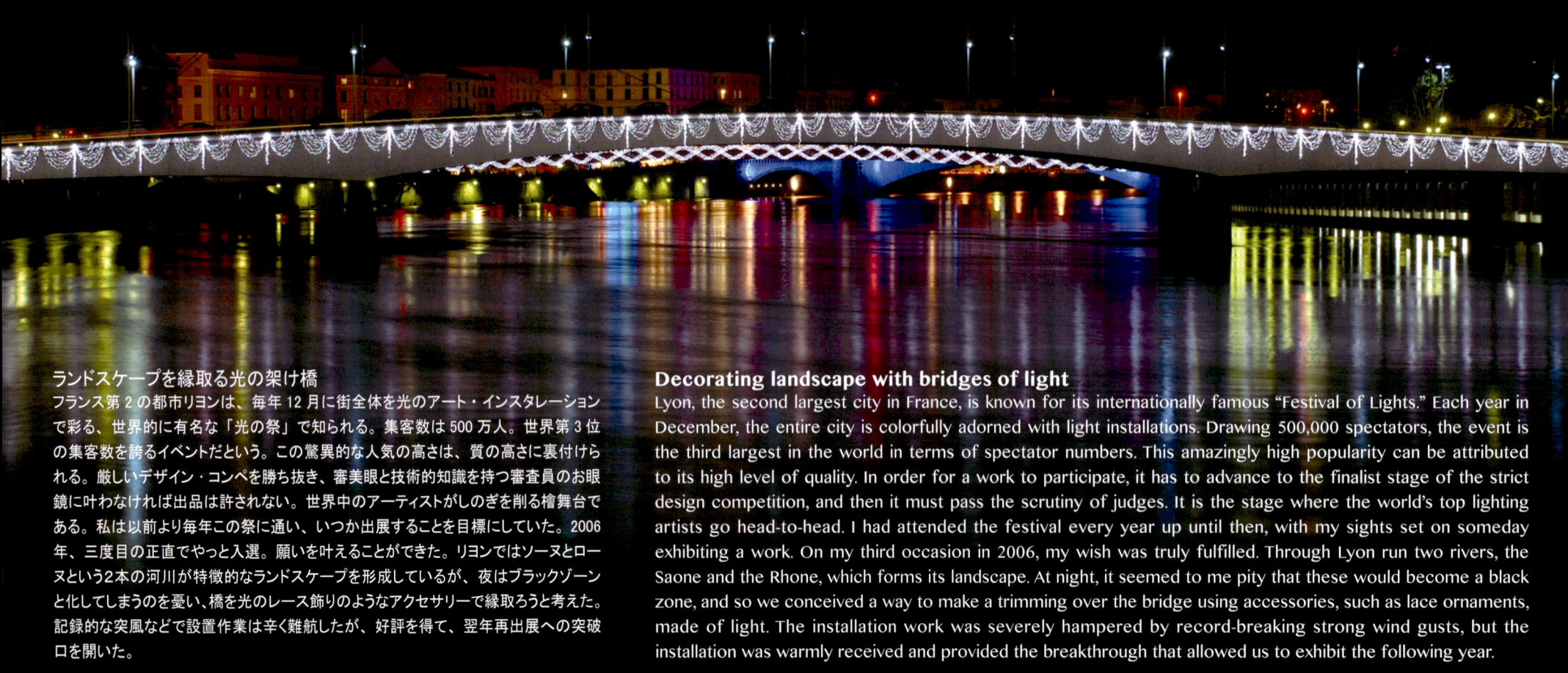

ランドスケープを縁取る光の架け橋

フランス第2の都市リヨンは、毎年12月に街全体を光のアート・インスタレーションで彩る、世界的に有名な「光の祭」で知られる。集客数は500万人。世界第3位の集客数を誇るイベントだという。この驚異的な人気の高さは、質の高さに裏付けられる。厳しいデザイン・コンペを勝ち抜き、審美眼と技術的知識を持つ審査員のお眼鏡に叶わなければ出品は許されない。世界中のアーティストがしのぎを削る檜舞台である。私は以前より毎年この祭に通い、いつか出展することを目標にしていた。2006年、三度目の正直でやっと入選。願いを叶えることができた。リヨンではソーヌとローヌという2本の河川が特徴的なランドスケープを形成しているが、夜はブラックゾーンと化してしまうのを憂い、橋を光のレース飾りのようなアクセサリーで縁取ろうと考えた。記録的な突風などで設置作業は辛く難航したが、好評を得て、翌年再出展への突破口を開いた。

Decorating landscape with bridges of light

Lyon, the second largest city in France, is known for its internationally famous "Festival of Lights." Each year in December, the entire city is colorfully adorned with light installations. Drawing 500,000 spectators, the event is the third largest in the world in terms of spectator numbers. This amazingly high popularity can be attributed to its high level of quality. In order for a work to participate, it has to advance to the finalist stage of the strict design competition, and then it must pass the scrutiny of judges. It is the stage where the world's top lighting artists go head-to-head. I had attended the festival every year up until then, with my sights set on someday exhibiting a work. On my third occasion in 2006, my wish was truly fulfilled. Through Lyon run two rivers, the Saone and the Rhone, which forms its landscape. At night, it seemed to me pity that these would become a black zone, and so we conceived a way to make a trimming over the bridge using accessories, such as lace ornaments, made of light. The installation work was severely hampered by record-breaking strong wind gusts, but the installation was warmly received and provided the breakthrough that allowed us to exhibit the following year.

Ponts de lumière magnifiant le paysage

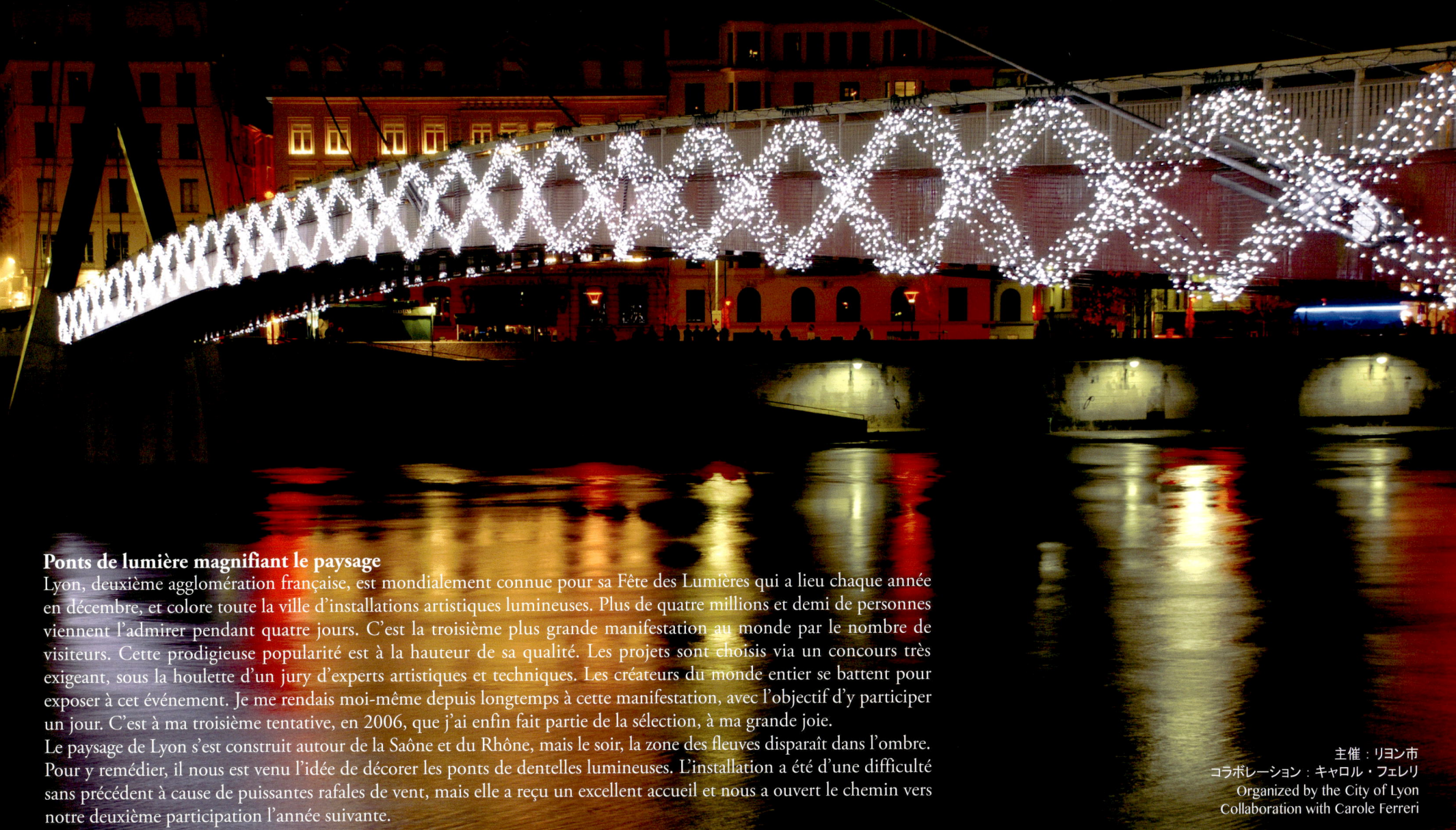

Lyon, deuxième agglomération française, est mondialement connue pour sa Fête des Lumières qui a lieu chaque année en décembre, et colore toute la ville d'installations artistiques lumineuses. Plus de quatre millions et demi de personnes viennent l'admirer pendant quatre jours. C'est la troisième plus grande manifestation au monde par le nombre de visiteurs. Cette prodigieuse popularité est à la hauteur de sa qualité. Les projets sont choisis via un concours très exigeant, sous la houlette d'un jury d'experts artistiques et techniques. Les créateurs du monde entier se battent pour exposer à cet événement. Je me rendais moi-même depuis longtemps à cette manifestation, avec l'objectif d'y participer un jour. C'est à ma troisième tentative, en 2006, que j'ai enfin fait partie de la sélection, à ma grande joie.

Le paysage de Lyon s'est construit autour de la Saône et du Rhône, mais le soir, la zone des fleuves disparaît dans l'ombre. Pour y remédier, il nous est venu l'idée de décorer les ponts de dentelles lumineuses. L'installation a été d'une difficulté sans précédent à cause de puissantes rafales de vent, mais elle a reçu un excellent accueil et nous a ouvert le chemin vers notre deuxième participation l'année suivante.

主催：リヨン市
コラボレーション：キャロル・フェレリ
Organized by the City of Lyon
Collaboration with Carole Ferreri

リヨン光の祭 2007「星を獲る漁師」
Festival of Light 2007, "Fishermen of the Stars"", Lyon
Fête des Lumières 2007, "Pêcheurs des Etoiles", Lyon

主催：リヨン市
コラボレーション：キャロル・フェレリ
Organized by the City of Lyon
Collaboration with Carole Ferreri

トポスのコンテクストが紡ぐ光のロマンス

前年好評を得たとはいえ、やはりコンペの難関をくぐり抜け、2007年には、市庁舎とオペラ座に面するメイン広場であるプラデル広場にて光インスタレーションをする案が入選にこぎつけた。噴水や水路のある広場のトポロジーにインスピレーションを受けて、「天の川で星を獲る漁師の一日を描く光と音のスペクタクル」を考案した。照明や音響器材を搭載したタワーを木製の漁師小屋に仕立て、そこから網を投げるフランス大西洋岸でよく見かける漁法を再現。さざ波の音で始まる漁夫の一日の始まりは星で彩られ、やがてシケとともに光の群れが現れ、収獲を得た網は輝き、瞬く。一日の終わりを告げる雨音とともに夜が明けるのだった―。こんな詩的なストーリーを出演者もナレーションも映像もなく、光と音だけで表現しなければならないという、自分で自分に課した難題に苦心したが、結局その年の最大インスタレーションに数えられて広く報道された。

Romance of light weaved from topological contexts

Although our work was well received in the previous year, it was still a struggle to pass through the difficult competition. Our proposal to perform a light installation at the Place Louis Pradel, which is the main square facing onto the City Hall and the Opera Theater earned selection. Drawing inspiration from the topology of the square, which contained fountains and watercourses, we conceived the "Spectacle of light and sound painting an image of one day of fishermen catching stars in the Milky Way." We crafted towers, on which light and sound equipment were installed inside a wooden fisherman's hut, and by casting a net from there, it reproduced a style of fishing often seen on France's Atlantic seaboard. The start of the one day of the fishermen with the sound of a crashing wave is colorfully portrayed by stars, and before long, a group of light dots accompanied by stormy weather appear, and the nets that take the catch sparkle and twinkle. The sound of rain announcing the breaking of dawn augured the end of the one day. We had decided that there must be no performers, no narration and no images telling this poetic story—it had to be expressed only by light and sound. Although the difficult task we had set was challenging to realize, the resulting work was counted among the greatest installations of that year and widely publicized.

Romance lumineuse née du contexte topologique

Réussite l'année précédente ou non, nous avons dû nous mesurer de nouveau à la difficulté du concours pour participer à la Fête des Lumières. Notre projet était une installation lumière sur la place Louis Pradel, une des places principales de la ville, qui fait face à la mairie et à l'opéra. Nous inspirant de sa topologie, composée de fontaines et de canaux, nous avons inventé un spectacle son et lumière retraçant la journée des pêcheurs qui attrapent les étoiles de la voie lactée. Nous avons transformé les tours techniques équipées des dispositifs de lumière et de son, en petites cabanes de pêcheur en bois, reproduisant ainsi l'environnement et les méthodes de pêche au filet de la côte atlantique française. La journée des pêcheurs commence par un bruit de vaguelettes sous la lumière des étoiles, elle se poursuit sur une mer houleuse tachetée de lumières, puis c'est le filet qui brille quand il sort de l'eau tout gonflé dans un ruissellement scintillant. Ensuite le son de la pluie annonce la fin du jour et le soleil se lève doucement. Nous nous sommes efforcées de conserver l'exigence que nous nous étions fixées en exprimant cette histoire poétique sans interprète, conteur ou image, avec les seuls supports de la lumière et du son. Notre installation a compté, cette année-là, parmi celles qui ont été les plus remarquées.

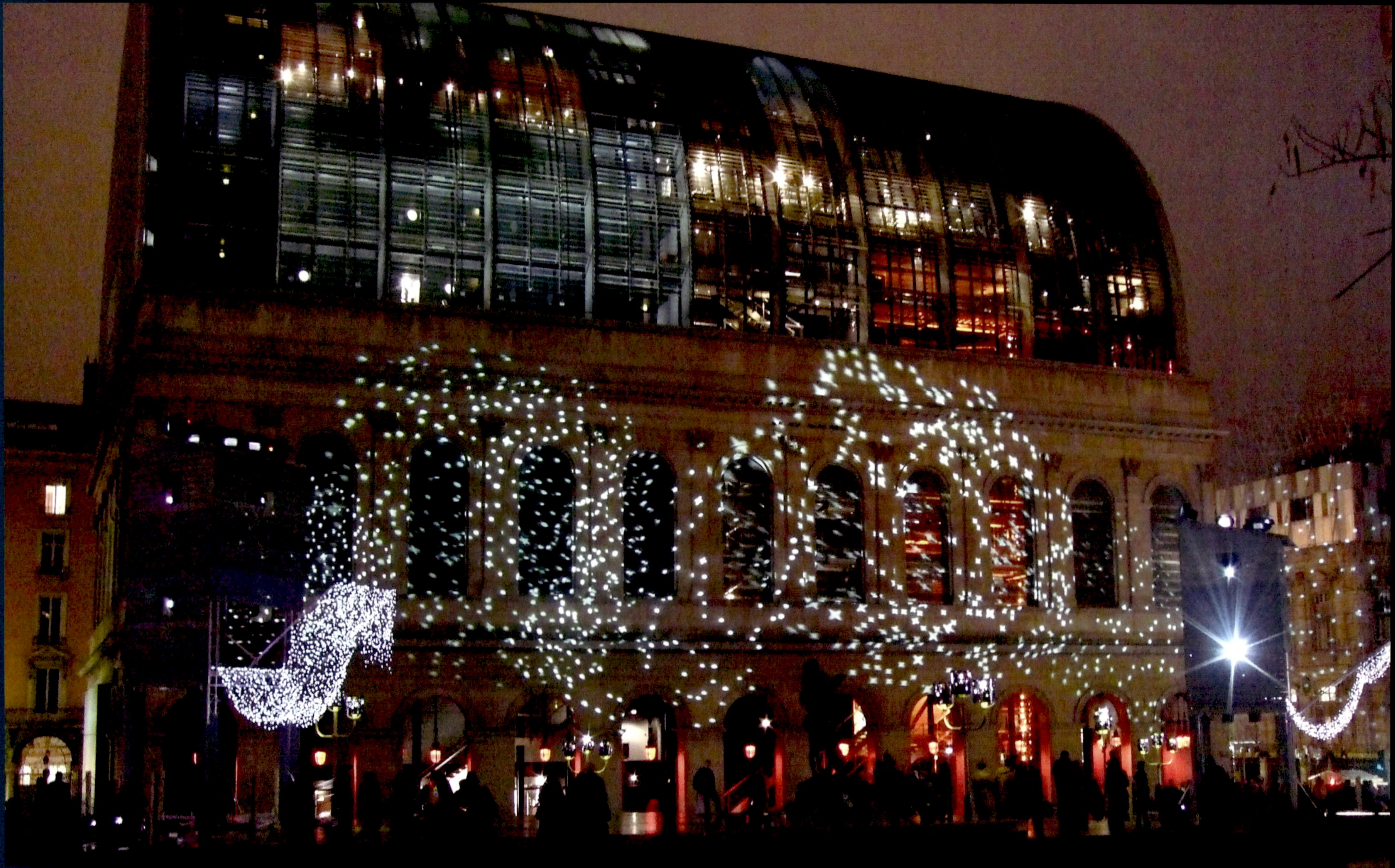

ドバイ光の祭「星を獲る漁師」
Dubai Festival of Lights "Fishermen of the Stars"
Fête des Lumières de Dubaï, "Pêcheurs des Etoiles"

共催：リヨン市　エマール
プロダクション：コロム
Organized by the City of Lyon, EMAAR
Produced by Quorum Productions

記憶の片鱗を照らす
近年、世界中で光の祭が次々と開催されるようになったが、やはりその覇者としてリヨンの地位は不動のものといえる。同市は、ドバイにその過去の作品コレクションの中から「ベスト30点」程を貸し出して、2014年にドバイ光の祭を共催した。世界最高の超高層ビル、ブルジュ・カリファを背景に、2007年の私達の作品が再演されることになったのは、こうした経緯からだった。ドバイも漁村に起源を持つ。その忘れられかけた記憶に光を当てるインスタレーションが、地元でも評価された。摂氏0度のリヨンから、30度のドバイへ。7年を経ての再演は感慨深いものがあった。

Illuminating a glimpse of memory
Recently, there have been various festivals of lights organized around the world, but Lyon remains unquestionably the premier event. Lyon co-hosted the Dubai Festival of Lights in 2014, lending Dubai the "Best 30" from among the collection of past works. And so this is why our 2007 work was produced in front of the world's highest skyscraper Burj Khalifa. Dubai actually has its origins as a fishing village. Therefore, shining light on that memory many have forgotten, the installation received much praise. It had travelled from zero-degree Lyon to thirty-degree Dubai. Having the installation re-exhibited after seven years was deeply moving for me.

Illuminer les recoins de la mémoire
Ces dernières années, des festivals de lumière sont organisés dans le monde entier, mais celui de la ville de Lyon reste encore inégalé jusqu'à présent. En 2014, sa toute première édition étrangère a été co-organisée à Dubaï, exportant les trente meilleures installations des collections des années précédentes. Prenant place dans une nouvelle histoire, notre création de 2007 a fait partie de la sélection exposée au centre de la ville, dominé par la plus haute tour du monde, la tour Burj Khalifa. Dubaï était un port de pêcheur à l'origine. La mise en lumière de cette mémoire bien souvent oubliée a su toucher la population locale. Passant de zéro à trente degrés, cette reprise sept années plus tard a été un moment émouvant.

輪廻転生を表現する光

スイス・ジュネーブでは、木をテーマにした光の祭典が、毎年12月から1月の真冬に開催されていた。東日本大震災のあった2011年冬の回に招待作家に指名され、旧市街地を視察したとき、ケルト時代から信仰の中心であったという大聖堂の丘に立つ木に感じるものがあり、震災の犠牲者への鎮魂をインスタレーションのテーマにした。毎春再生する木は、私達日本人にとって、輪廻転生を象徴する。生と死を、明と暗の繰り返しで表現する作品をこの木に展開し、隣接する大聖堂の頂上から「神の光」を彷彿とさせる強く白い光を降り注がせることで木全体を神々しく光らせた。足下にはフランス語で「生」「誕生」「再生」などの言葉を光で描き、静謐な中にも強いメッセージを持った作品になった。

Light expressing the cycle of rebirth

In Geneva, Switzerland, a tree-themed festival of light continued through the middle of winter, from December to January. I was invited in the winter of 2011, the year the Great East Japan Earthquake struck. When I did a site inspection of the old city, I sensed the trees standing on top of the hill which had been central to the religious faith in Geneva since the Celtic age, and I made the theme of my installation a prayer for the souls of the victims of the disaster. For Japanese, the tree that comes back to life every spring is a symbol of the endless circle of birth, death and rebirth. On this tree, I exhibited a work that expressed life and death by the serial repetition of light and darkness. Additionally, I created awe-inspiring beam over the entire tree by directing a strong white light that could be thought of as the "light of God" from the top of the adjacent cathedral. At the base of the tree I used light to draw the French words for "life," "birth," and "rebirth," etc. and this overall tranquil work had a strong message residing within.

Le cycle des réincarnations mis en lumière

Chaque année en plein hiver, de décembre à janvier, s'ouvrait à Genève un festival de lumière qui mettait en scène les arbres. J'ai été invitée à participer à l'édition de l'hiver 2011. C'était l'année du Grand Tremblement de Terre de l'Est du Japon et, quand je me suis rendue en repérage dans la vieille ville, j'ai ressenti une émotion particulière devant un arbre se dressant sur la colline, cœur spirituel de Genève depuis l'époque des celtes. Ce lieu m'a évoqué le repos des âmes victimes du séisme, car pour les Japonais, les arbres qui se régénèrent à chaque printemps symbolisent le cycle des réincarnations. J'ai donc exposé sur cet arbre une œuvre qui exprime l'alternance de la vie et de la mort, par la clarté et l'obscurité. Je l'ai paré tout entier d'un éclat céleste en l'inondant d'un vif faisceau blanc représentant la lumière divine, provenant du sommet de la cathédrale toute proche. J'ai réussi à inclure un message fort dans cette œuvre sereine en projetant au pied de l'arbre les mots « vie », « naissance » et « renaissance ».

ジュネーブ 木と光 2011「3.11」
Tree in Light 2011, Geneva
Arbres et Lumières 2011, Genève

主催：ジュネーブ市
プロデュース：ジュリアン・パヴィアール
Organized by the City of Geneve
Produced by Julien Pavillard

主催：在イタリア日本国大使館
コラボレーション：石井幹子＆石井幹子デザイン事務所
Organized by the Embassy of Japan in Italy
Collaboration with Motoko Ishii Lighting Design

ローマの真夏の夜の夢
イタリア中部の震災被災地ラクイラでG8サミットが開催されたとき、ローマでは、日本文化紹介のためのイベントが、チベリ川中洲のチベリーナ島で開催された。島周辺の石橋や護岸インスタレーションに、日の丸をモチーフにした特別なライトアップを施すことにした。鮮やかな日本らしい朱は特殊なフィルターを厳選し、石灰岩の肌を引き立てる白いライトとのコントラストを実現させた。ローマの真夏の夜に、日の出ずる国の太陽が現れる夢を描くような、束の間のインスタレーションとなった。現地の照明スタッフは、イタリアのシネマ界を支える光のプロ。光という言語でコミュニケーションするような見事な連携が成立し、イベントは大成功を収めた。

Mid-summer night dreams in Rome

While a G8 summit was taking place at the earthquake-disaster-zone of L'Aquila, central Italy, an event to introduce Japanese culture was held on Tiberina Island on the river Tiber, in Rome. On the stone bridge and river wall installation surrounding the island, we implemented a special light-up using white and red of the Japanese flag as the motif. Filters were carefully selected to create the vivid Japanese red, and a contrast was realized between this and the white light, which accentuated the surface of the limestone rock. It was an installation just for a brief moment, like depicting a dream in which the sun of the land of the rising sun appears. The local lighting team were lighting professionals of the Italian cinema industry. A remarkable level of cooperation was established through communication using the language of light, and the event was a big success.

ジャパンイタリー
Japanitaly
Japanitaly

Le songe d'une nuit d'été à Rome
Au moment de l'ouverture du G8 qui s'est tenu dans la région sinistrée par le séisme d'Aquila au centre de l'Italie, a eu lieu à Rome sur l'île Tibérine un événement pour présenter la culture japonaise. Nous avons imaginé de projeter sur les ponts et les rives de pierre environnantes, une lumière blanche et rouge aux motifs du Soleil Levant. Nous avons sélectionné des filtres spéciaux pour rendre la couleur carmin emblématique du Japon et créé un contraste avec de la lumière blanche à la surface de la pierre à chaux. C'était une installation éphémère représentant le rêve de l'apparition du soleil levant un soir d'été à Rome. Tous les membres de l'équipe locale d'éclairage étaient des professionnels du cinéma italien. Une excellente communication s'est établie grâce au langage de la lumière, cet événement a eu beaucoup de succès.

水墨画の反転影絵

「エルメスのメガブティックが上海目抜き通りに開店するのを記念して、セレモニーを予定している。その光の演出をしてほしい」と連絡をいただいたのは、本番5カ月程前のことだった。20世紀初頭にフランスによって建設された赤レンガと白セメントのバルコニーに縁取られた美しい建物が、フランスのメゾンによって蘇るという。絵本『ちいさいおうち』を彷彿とさせるその場所の歴史から、コンセプトを紡いだ。周囲にはメディアファサードで覆われた、やかましい光を放つブランドショップが軒を連ねている。そこにいくら明るさで挑んでも意味がないと考え、逆手に出て影絵の手法を採用することを提案。中国伝統影絵のモチーフや、建物が面する大通りに茂るプラタナスの並木を墨絵にアレンジして制作した文様を投影した。メルヘンと茶目っ気たっぷりのエスプリを大切にするこのブランドの2014年最大のイベントに、カラフルな光のポエジーが花を添えた。

Reinversed Shadow Play of Chinese Ink Painting

I was contacted by Hermes with the message: "We are planning to hold a ceremony to commemorate the opening of Hermes Maison, a mega boutique on a downtown shopping street in Shanghai. We want you to stage the lighting." It arrived five months before the scheduled date. The location is a red-brick building ornamented by white balconies that was constructed by the French at the beginning of the 20th century and which now owes its revival to a French brand. The concept for the event was spun from this place of history, which reminded me of the picture book "The Little House." The surroundings consist of lines of buildings occupied by brand shops illuminating loud-colored lights and covered in media facade. Therefore, considering there was no chance of standing out by going bright, I proposed the reverse approach of adopting shadow-play images. The patterns projected were created by arranging motifs of traditional Chinese shadow-play images and black-and-white sumie style images of sycamore trees, which are actually growing on the street in front of the property. Then, in fitting with the grandest event of 2014 for this brand that loves fairy tales and playful mischievousness, a poesy of colorful lights added flowers to the scene.

Jeu d'ombres inversé en lavis

« La Maison Hermès a prévu une cérémonie d'ouverture pour son immense boutique située dans une des grandes artères de Shanghai. Elle souhaite que vous réalisiez sa mise en lumière. » Quand ce message m'est parvenu, nous étions à cinq mois de l'événement. Ce beau bâtiment en brique rouge décoré de balcons en ciment blanc, construit au début du 20ème siècle par un architecte français, allait revivre grâce à une Maison française. Ce passé m'a inspiré un concept qui puisait dans l'histoire du lieu, évoqué dans le livre d'enfants « La petite maison » de Virginia Lee Burton. Toutes les marques de luxe alentours ayant opté pour des façades média aux éclairages agressifs, j'ai choisi l'approche contraire en jouant sur les ombres. Les thèmes projetés ont été créés à partir de motifs tirés de dessins traditionnels chinois en jeux d'ombres, et d'images au lavis reproduisant les platanes bordant l'avenue. Pour cet événement majeur de la marque en 2014, cette poésie de couleurs a su exprimer la beauté teintée de rêve et d'espièglerie qui caractérise la Maison Hermès depuis toujours.

エルメス上海 オープニングイベント
Opening Ceremony Lighting Event for Hermes Shanghai
Spectacle d'inauguration de la Maison Hermès, Shanghai

主催：エルメス・インターナショナル
Organized by Hermes International

クリスマス・イルミネーションのオリジンを探る

8月のある日、フランス人のほとんどがバカンスに出払っている頃、私のオフィスの電話が鳴った。パリ市が主導して、年末イルミネーションをアート化するので、デザイナーとして参加してほしいという依頼だった。独立したばかりの私に、夏鳥の白羽の矢が飛んできたような気分だった。早速、高級住宅地のヴィクトル・ユーゴー広場や、高級ブティックが並ぶモンテーニュ通り等を担当することに。クリスマス・デコレーションの起源を辿り、それぞれの場所の都市計画上の位置づけや歴史、建造物のモチーフなどを丹念に調べたりして、個別のコンセプトを提案。設置中は、毎日現場に出向いて、極寒の中で続く作業を激励し、想いを形にするプロセスを達成させた。

共催：パリ市　パリ商工会議所
コーディネーション：パリ・イルミネ・パリ・コミッティー
Organized by the City of Paris & the Chamber of Commerce of Paris
Coordinated by Paris illumine Paris Committee

Searching for the origins of Christmas illumination

One day in August, at a time when most French are on vacation, my office received a phone call. The end-of-year illuminations being organized by the City of Paris were to be made into an art event, and they were calling to request that I attend as a designer. As I had just become independent, I felt very lucky and honored to have been singled out. I was to be in charge of Victor Hugo Place, a high-class residential area, and Avenue Montaigne, home to several luxury boutiques and the like. I explored the origins of Christmas decorations, and meticulously investigated the respective locations from an urban planning perspective, considering place and history, as well as the motifs of structures. During the installation, I went to the sites each day to encourage the installation crew, who were working continuously in the bitter cold, so that my first image would be realized precisely.

パリ・イルミヌ・パリ
Paris illuminates Paris
Paris illumine Paris

Revisiter les origines des illuminations de Noël

Un jour d'août dans la capitale vidée de ses vacanciers, je reçois un appel à l'agence. On me demande de participer en tant que conceptrice au projet initié par la ville de Paris pour transformer les illuminations de Noël en créations artistiques. Je venais tout juste de m'installer à mon compte, c'était comme un cadeau de Noël tombé du ciel en plein été. On m'a confié la très élégante place Victor Hugo dans le 16ème arrondissement et la prestigieuse avenue Montaigne, entre autres. J'ai tout de suite entamé des recherches sur l'origine des décorations de Noël, l'histoire et l'emplacement de ces lieux du point de vue de l'urbanisme, des motifs des bâtiments… Et je suis arrivée à un concept global personnalisé. Pendant l'installation, je me suis rendue sur place tous les jours afin d'encourager les installateurs qui travaillaient par grand froid. C'est comme ça que j'ai pu m'assurer que la qualité finale correspondait bien à mon image initiale.

ヴーヴ・クリコ・ロゼ・シャンパン・ラウンチング・パーティー
Veuve Clicquot Rose Lauching Party, Tokyo
Soirée de lancement de Veuve Clicquot Rosé, Tokyo

主催：ヴーヴ・クリコ・ジャパン
コラボレーション：石井幹子＆石井幹子デザイン事務所
Organized by Veuve Clicquot Japan
Collaboration with Motoko Ishii Lighting Design

光のストーリー性と祝祭性
ブドウからロゼ・シャンパンになるまでの過程を、紫から薄ピンクまでのグラデーション光で染められた木々の間を通りながら追体験しつつ、パーティー会場にたどりつく。するとそこにはピンクのイルミネーションで縁取られた池と、ピンクにライトアップされた噴水などが華やかな世界を展開する。ヴーヴ・クリコ・イエローを差し色に使いながら、桜の花以外全てをロゼ色に染めた。海外雑誌の表紙を飾るなど、照明業界ではこのプロジェクトは大変評価された。私にとっては、照明デザインにおけるストーリーづくりの大切さを体得したプロジェクトとなった。

Story-telling and celebratory qualities of light
After passing through trees colored by light in gradations from purple to pale pink, experiencing the process from grape to rose champagne, we wander into the party venue. There, a spectacular world opens up that includes a pond fringed with pink illumination and a fountain lit up in pink. While using the Veuve Clicquot yellow as the accent color, everything other than cherry blossoms was lit in the color of rosé. This project drew high praise from the lighting industry, and it adorned the covers of overseas magazine. This project gave me the opportunity to experience the importance of story creation in lighting design.

Histoire et festivités exprimées en lumière
Les invités pénétraient dans le lieu de réception après une déambulation entre les arbres, illuminés par des dégradés de couleurs, en une évocation des différentes étapes de la fabrication du champagne, du violet du raisin au rose pâle de la boisson finale. Le bassin était entouré d'illuminations roses, et le même coloris était projeté sur le jet d'eau, donnant un éclat à toute la scène. Le ton jaune emblématique de la marque avait été choisi comme couleur d'accentuation, et tout le reste du lieu était teinté de rosé en dehors des cerisiers. Cette création a été très appréciée dans le monde de la conception lumière, faisant même la couverture d'un magazine étranger. Ce projet a été une expérience très enrichissante pour moi notamment parce qu'il m'a fait comprendre l'importance de savoir élaborer une histoire au moyen de la lumière.

89

家庭画報サロン
「五感で楽しむ春の宵」

Kateigaho Salon
"5 senses to enjoy a spring night"

Salon Kateigaho
« 5 sens pour une soirée printanière »

主催：世界文化社
フラワーアレンジ：佐々木直喜
Organized by Sekai Bunkasha
Flower Arrangement by Naoki Sasaki

淡いピンクの水墨画
『家庭画報』誌が愛読者のために毎回趣向を凝らしたサロンを開催している。2012年春の回は誌面でも好評の「上野の森 韻松亭」を舞台に、「花と光の競演」がテーマ。花はその日に生けるまで、最終の形やボリュームがわからない。想定スケッチを頼りにいくつかの器材を用意し、その即興性を楽しむ気持ちで望んだ。それまでも華道とのコラボレーションは幾度か経験しており、光が生け花を本当に「生かす」瞬間を模索する喜びを感じていた。今回も期待を満たすに十二分なものだった。

Ink paintings dyed in pale pink

For avid readers of Kateigaho, a monthly salon is held by the editor. "Insyotei of Ueno Forest," often featured on the magazine, was chosen as the stage with the theme "Contest between Flower and Light" in spring 2012. It is not until the actual day of the event that one can really know the final form and volume of the flowers. I provisionally prepared several equipment and materials based on the flower designer's rough sketches beforehand, enjoying the prospect of having to make improvisations. I had already considerable experience in collaborations with ikebana, and this was time enjoyably spent searching for the moments of light that truly "bring life" to flowers. This occasion was more than enough to fulfill my expectations.

Lavis teinté en rose pâle

Le magazine Kateigaho organise régulièrement des invitations ciblées autour de différents thèmes pour ses lecteurs les plus fidèles. Au printemps 2012, la rédaction a choisi le restaurant gastronomique Inshotei dans le parc d'Ueno, qu'elle présente souvent dans ses revues, pour mettre en scène le thème de la composition Cerisiers et Lumière. Comme la forme et le volume final de l'arrangement floral étaient imprévisibles jusqu'au moment de la réalisation, j'avais préparé divers équipements et fait quelques croquis, avec l'envie de savourer ce moment d'improvisation. Il m'était déjà arrivé à plusieurs occasions de réaliser des collaborations dans ce domaine, et j'ai eu beaucoup de plaisir à ressentir l'instant où la lumière donne vie à la composition florale. Ce fut cette fois encore d'une qualité qui a répondu aux attentes de tous.

主催：世界遺産音楽祭実行委員会
Organized by the Executive Committee of the World Heritage Music Festival

世界遺産音楽祭 2006 下鴨神社
World Heritage Music Festival 2006 Kyoto, Shimogamo
Festival musical 2006, patrimoine mondial de Shimogamo

神道のトポロジーをライトアップ

京都の世界文化遺産を舞台に本格的なクラシックコンサートを楽しむという企画で、新三大テノールの一人による下鴨神社でのコンサート照明を任された。神社全体が舞台だと考え、境内の各建物を引き立たせるだけでなく、糺の森に包まれているこの神社の特殊性を暗示するため、植栽を含む環境全体にライトアップを施した。ステージとなった橋殿は、背景の金屏風と池坊によるお華を柔らかく照明した上に、曲に合わせた控えめな光演出を行った。開幕時に夜空を横切った白鷺が、ビームに映え、神々しく見えたことを今でも鮮明に思い出す。

Light-up showing topology of Shinto

As part of a project to enjoy an authentic classical music concert with a World Heritage Site of Kyoko as the stage, I was entrusted to provide lighting for a concert of one of the new Three Greatest Tenors at the Shimogamo Shrine. I considered the entire site as the stage; instead of solely concentrating on accentuating the shrine building, I produced a light-up of the entire environment including even the trees so as to express the uniqueness of the shrine surrounded by the Tadasu-no-Mori forest. At the Hashidono Hall, the main stage, I produced a restrained lighting performance that was arranged in accordance with the songs in addition to softly lighting the background gilt folding screen and ikenobo-style ikebana. Just at the beginning of the concert, an egret, crossing the night sky, was reflected in a beam of light, and I can still vividly recall that awe-inspiring image.

Topologie du shinto mise en lumière

Un concert de grande musique classique a été organisé dans un des sites du patrimoine culturel mondial à Kyoto. J'ai ainsi été sollicitée pour mettre en lumière la performance d'un des trois nouveaux meilleurs ténors du monde au sanctuaire Shimogamo. J'ai ressenti que la scène englobait l'ensemble du sanctuaire, c'est-à-dire non seulement les bâtiments, mais toute la forêt primitive (« Tadasu-no-mori ») qui l'entoure, j'ai opté pour une illumination incluant la végétation afin d'évoquer cette particularité du lieu. Le pavillon Hashidono ayant été transformé en scène, j'ai projeté une lumière douce sur le fond de paravent doré et sur l'arrangement floral réalisé par l'école Ikenobo, faisant résonner l'éclairage avec la discrétion de la musique. À l'ouverture du concert, étonnant hasard, un héron blanc a traversé le faisceau, le découpant dans le ciel nocturne. Je me souviens encore nettement aujourd'hui de cette vision céleste.

ヴーヴ・クリコ ヴィンテージ—シャンパーニュをめぐる旅
Veuve Clicquot Vintage - A Voyage throught the Senses
Veuve Clicquot Vintage - un Voyage à travers les sens

主催：ヴーヴ・クリコ・ジャパン
コラボレーション：石井幹子＆石井幹子デザイン事務所
Organized by Veuve Clicquot Japan
Collaboration with Motoko Ishii Lighting Design

異次元への旅へ、光の誘い
東京国立博物館を舞台に、ヴィンテージ・シャンパンのプロモーションが開催された。池のまわりのキャンドルがフランス的なエスプリを利かせる、ヴーヴ・クリコ・イエローを基調にした屋外から、入口のグリーンを抜け、深海に向かっていくようなブルーへのグラデーションを辿ることで、別世界への「旅」を表現。中盤のガラ・リサイタル時には、シャンパンの泡でホール中を包み込むような光の演出で、祝祭性を盛り上げた。光が非日常性をつくり出す力を実感した。

Light's invitation to a journey to a different dimension
This promotion event for vintage champagne was held at the Tokyo National Museum. Candles set up outside around the pond created a French atmosphere. As we pass in through the green entrance from the outside, which has been given an underlying tone of Veuve Clicquot yellow, the "Journey" to a different world is expressed by moving through gradations to blue, like heading toward the deep blue sea. At the time of the gala recital at the middle stage of the event, light was projected so that it wrapped around the hall with bubbles of champagne and this effect served to create a mood of festivity. In this project, I experienced the tremendous capability of light to create the extraordinary.

Invitation lumineuse pour un voyage dans une autre dimension
Un événement de promotion du champagne millésimé Veuve Cliquot a été organisé au sein du Musée National de Tokyo. À l'extérieur, des bougies placées autour de la pièce d'eau rappellaient l'esprit français. On passait d'abord devant la façade éclairée en jaune, couleur emblématique de la marque, puis l'entrée invitait à suivre un dégradé du vert au bleu évoquant les profondeurs de la mer, comme une porte ouvrant sur un autre monde. Au moment du récital, point d'orgue de l'événement, nous avions plongé toute la salle au coeur de bulles de champagne étincelantes. J'ai pu ressentir à cette occasion l'extraordinaire puissance créative et festive de la lumière.

バトー・ムッシュ 60 周年記念イベント
The 60th anniversary of Bateaux-Mouches, Paris
60ᵉ anniversaire des Bateaux-Mouches, Paris

光の花束

パリ観光のハイライトのひとつとして知られるセーヌ河遊覧船の老舗が、60周年を記念して船着き場を全面改修。関係者を集めて大パーティーを催した。未来的な新建造物の常設ライトアップと、イベント用の照明シナリオを同時並行で準備。イベント当日は、屋上に並べた6本のサーチライトがバースデーケーキのキャンドルを象徴。特殊な器材を駆使したチャレンジが功を奏して、パーティーに花束を飾るような、華やかでダイナミックな光の演出が展開された。

Bouquet of light

Bateau Mouche is a long-standing company operating scenic-tour boats on the river Seine, one of the highlights of sightseeing activities in Paris. To commemorate its 60th Anniversary, the company entirely renovated their boat decks. Invited guests gathered, and a large party was held. I prepared for both a permanent light-up for a futuristic building and the lighting scenario for the event in parallel. On the day, six search lights were lined up on a roof to symbolize the candles of a birthday cake. I also organized special equipment that would enable the production of colorful and dynamic lighting effects, like adorning the party with bouquets of flowers.

Bouquet de lumière

La traditionnelle compagnie des Bateaux-Mouches, très appréciée des touristes qui veulent découvrir Paris, a engagé une réfection complète de ses embarcadères à l'occasion de la célébration de son soixantième anniversaire. J'ai été chargée de l'éclairage permanent du bâtiment futuriste de l'accueil, mais aussi de la scénographie lumière de la grande soirée organisée pour l'inauguration. Le jour-même, j'avais disposé six skytracers sur le toit, leur lumière symbolisant les bougies d'un gâteau d'anniversaire. Le matériel inédit que j'ai utilisé m' permis de dessiner un immense bouquet de fleurs de lumière, offert en ode à l'éclat et au mouvement.

主催：バトー・ムシュ・ポン・ド・ラルマ
Organized by Bateaux Mouche Pont de l'Alma

よみうりランド ジュエルミネーション 2013・2014 —— 噴水ショー「パリ・モナムール」「パリ・セ・ラ・フェット」
Yomiuri Land Jewellumination 2013-14 - Fountain show "Paris Mon Amour" "Paris, c'est la Fete"
Yomiuri Land Jewellumination 2013-14 - Spectacles de jets d'eau "Paris Mon Amour" "Paris, c'est la Fête"

光が物語るパリの宵

全国でも屈指のイルミネーション・スポットとして知られる、よみうりランド恒例の冬のイベント「ジュエルミネーション」。毎年エリアと内容を拡充する中で、プールエリアの特別噴水ショーが加わり、その演出を任された。全体テーマ「パリ」を受けて、毎年異なるバージョンで光と音と水のスペクタクルを考案。オリジナルサウンドもプロデュースし、シャンゼリゼの恋人をテーマにした2013年の「パリ・モナムール」でオーセンティックなパリの雰囲気を打ち出した後、2014年にはパリの祝祭の名所を巡りながら様々な光の表現に出会う「パリ・セ・ラ・フェット」を展開し、人気を博した。自分も楽しみながらつくったものは、観る人にもわくわく感を伝染させるらしい。

Evening in Paris as told by light
Yomiuriland Jewellumination 2013 & 2014 Water Fountain Show

The established winter event of Yomiuriland "Jewellumination" is known throughout Japan as a prominent illumination spot. Each year, the scale and content of this event is expanded. When they added the special water fountain show of the pool area, I was entrusted with this production. Adopting the overall theme of "Paris," each year I proposed a different version of a light, sound and water spectacle including compositions of original sound. Following on from 2013 when I created an authentic Paris environment using the theme of "Paris Mon Amour," which was the theme of lovers of Champs-Elysees avenue, I produced "Paris C'est la Fete" in 2014, which provided encounters with various expressions of lights as one wandered famous festive venues of Paris, and this proved to be very popular. The projects in which I took great joy creating also seemed to spread a sense of excitement to the spectators.

Soirée parisienne contée en lumière
Spectacle d'eau Yomiuri Land Jewellumination 2013 - 2014

Réputé dans tout le pays, Jewellumination est l'évenement phare du parc d'attraction Yomiuri Land à Tokyo en hiver. Chaque année, il prend davantage d'ampleur, et on m'a demandé de mettre en lumière un spectacle avec les jets d'eau situés dans la zone des piscines. Le thème général est toujours Paris, mais une nouvelle version est créée chaque année autour de la lumière et de l'eau, sur fond de musique originale. Après avoir présenté en 2013 « Paris mon amour », une atmosphère parisienne authentique sur le thème des amoureux des Champs-Élysées, j'ai créé en 2014 la version « Paris c'est la fête », tournée des lieux célèbres de la ville, à la découverte de ses multiples lumières. Ce fut aussi un grand succès, et je pense que mon plaisir à créer cette mise en scène s'est transmis à ceux qui la regardaient !

主催：よみうりランド
総合プロデュース：石井幹子
コラボレーション：石井幹子デザイン事務所
Organized by Yomiuri Land
Produced by Motoko Ishii
Collaboration with Motoko Ishii Lighting Design

美術館照明
Museum Lighting
Eclairage Muséographique

光で時代の混沌を彷彿
第一次世界大戦末期、1917年に制作された美術作品を多方面から集め、美術史における重要な過渡期にあたるこの時期を見直す、という画期的な特別展が開催された。目玉は、これまでポンピドー本館でも殆ど展示できなかったピカソの最大作品、『パラード』というバレエの舞台のために制作された直筆綴帳。時代の混沌を象徴するスパイラル状の会場構成や、きら星のような作品群を照明するのはプレッシャーであり大きな喜びであった。塹壕を彷彿とさせる横長の配光で、照明でも展覧会の主旨を暗示した。綴帳には劇場のプロセニアムを再現するため、舞台照明で使われる器材や手法を取り入れた。

Exposition 1917, Galerie 1 et Grand Nef du Centre Pompidou-Metz, du 26 mai au 24 septembre 2012
© Shigeru Ban Architects Europe et Jean de Gastines Architectes avec Philip Gumuchdjian pour la conception du projet lauréat du concours / Metz Métropole / Centre Pompidou-Metz

Photo de droite : "Rideau de Scène du ballet "Parade"" 1917
©2015 - Succession Pablo Picasso - SPDA (Japan)

Representation of Chaos of the Era by Light

This exhibition collected works of art created in 1917, the period of the end of the First World War, from various fields. It was a special exhibition with tremendous significance in that it challenged visitors to rethink this period as an important transitional period in art history. One of the main attractions of the exhibition was the largest work of Picasso that even the Centre Pompidou had been exhibit up very few until now, that is the curtain of his original painting that he created for the ballet called "Parade." The exhibition space was configured in a spiral shape to signify the chaos of the time. It was under much pressure and with great joy that I lit this group of works like twinkling stars. By delivering light beam in the horizontaly in a way that resembled war-time trenches, even the lighting suggested the main theme of the exhibition. In order to reproduce the proscenium arch that would have been in front of the curtain in the original theater, I employed special equipment and techniques used in stage lighting.

Reproduite le chaos de l'époque par la lumière

Une exposition exceptionnelle a été organisée au Centre Pompidou-Metz autour d'une sélection d'œuvres de provenances diverses, toutes réalisées pendant l'année 1917. Une exposition qui a été imaginée pour repenser à cette période de transition importante dans le domaine de l'histoire de l'art que fut la fin de la première guerre mondiale. L'œuvre majeure de l'événement était « Parade », la plus grande toile jamais réalisée par Picasso peinte directement sur un rideau de scène pour ballet, qui avait encore été très peu exposé par son propriétaire, le Centre Pompidou. Mettre en lumière la scénographie en spirale, symbole du chaos de l'époque, et travailler autour de telles œuvres a été une pression autant qu'une joie. J'ai choisi de suggérer le concept de l'exposition par sa mise en lumière générale mais aussi par la projection de faisceaux oblongs rappelant la forme des tranchées. Du matériel et des techniques d'éclairage venant du théâtre ont également été utilisés afin de reproduire l'avant-scène sur le rideau.

1917展
1917
1917

主催：ポンピドー・センター・メッツ
展示デザイン：ディディエ・ブラン
Produced by Pompidou Center Metz
Scenography by Didier Blin

Shining light on the interval between Neo Gothic and Modern
Eugène Viollet-le-Duc has his name etched in France's architectural history for restoring medieval structures such as the cathedral Notre Dame de Paris in the 19th century. This large exhibition was held at the Cité de l'architecture et du patrimoine in the Chaillot palace in Paris to mark the 200th Anniversary of his birth. It was a broad-ranging project that covered his background until his great success as an architect and restorer, his non-architectural works and some historical background of that age. As the contents of the exhibition were of tremendous interest to me personally, I was excited to have been appointed to undertake the lighting design. Although it took great effort to provide an overall consistency by bringing out the qualities of the different colors of scenography and accentuating the various exhibited items from rough sketches to sculptures and furniture, the reaction from the opening was better than expected, and the exhibition finished as a great success.

Mise en lumière de l'espace entre le néo-gothique et le moderne
Eugène Viollet-le-Duc est un homme dont le nom s'attache à l'histoire de l'art et de l'architecture française, notamment pour son travail de restauration au 19ème siècle de la cathédrale Notre-Dame de Paris. À l'occasion du bicentenaire de sa naissance, la Cité de l'architecture et du patrimoine (Palais de Chaillot, Paris) a organisé une importante exposition rétrospective. C'était un projet de grande envergure présentant le parcours de Viollet-le-Duc avant que sa renommée ne grandisse en tant qu'architecte et restaurateur, ainsi que ses créations dans d'autres domaines, dans le contexte de l'époque. Ayant un intérêt personnel évident pour le sujet, j'ai été enchantée quand on m'a sélectionnée pour concevoir l'éclairage de cette exposition. En mettant en valeur les teintes de chaque espace et les œuvres très variées allant des dessins aux sculptures ou encore au mobilier, j'ai dû fournir un effort énorme pour maintenir la cohérence de l'ensemble. Finalement, la manifestation a connu un retentissement inespéré, terminant sur un grand succès.

開催：建築遺産博物館（パリ）
展示デザイン：ディディエ・ブラン
Produced by Cité de l'Architecture et du Patrimoine
Scenography by Didier Blin

ヴィオレ－ル－デュク展 —— 建築家のヴィジョン
Viollet-le-Duc - the visions of an architect
Viollet-le-Duc – les visions d'un architecte

ネオ・ゴシックとモダンの狭間に光を当てる

パリのノートルダム大聖堂など中世の遺構を19世紀に修復し、フランス建築史に名を残すユジェーヌ・ヴィオレ－ル－デュク。その生誕200年を記念し、パリ・シャイヨー宮にある建築遺産博物館で大々的な回顧展が開催された。建築家・修復家として大成するまでの経緯や、建築以外の作品、時代背景までをも網羅する幅広い企画である。個人的に大変興味がある内容なので、照明デザインを指名されたときは心躍るものがあった。各展示室のカラーや、素描から彫刻・家具に至るまでの多様な展示物を引き立てながらも、全体の統一感を出すことに腐心したが、オープニングから予想以上の反響があり、展覧会は大成功に終わった。

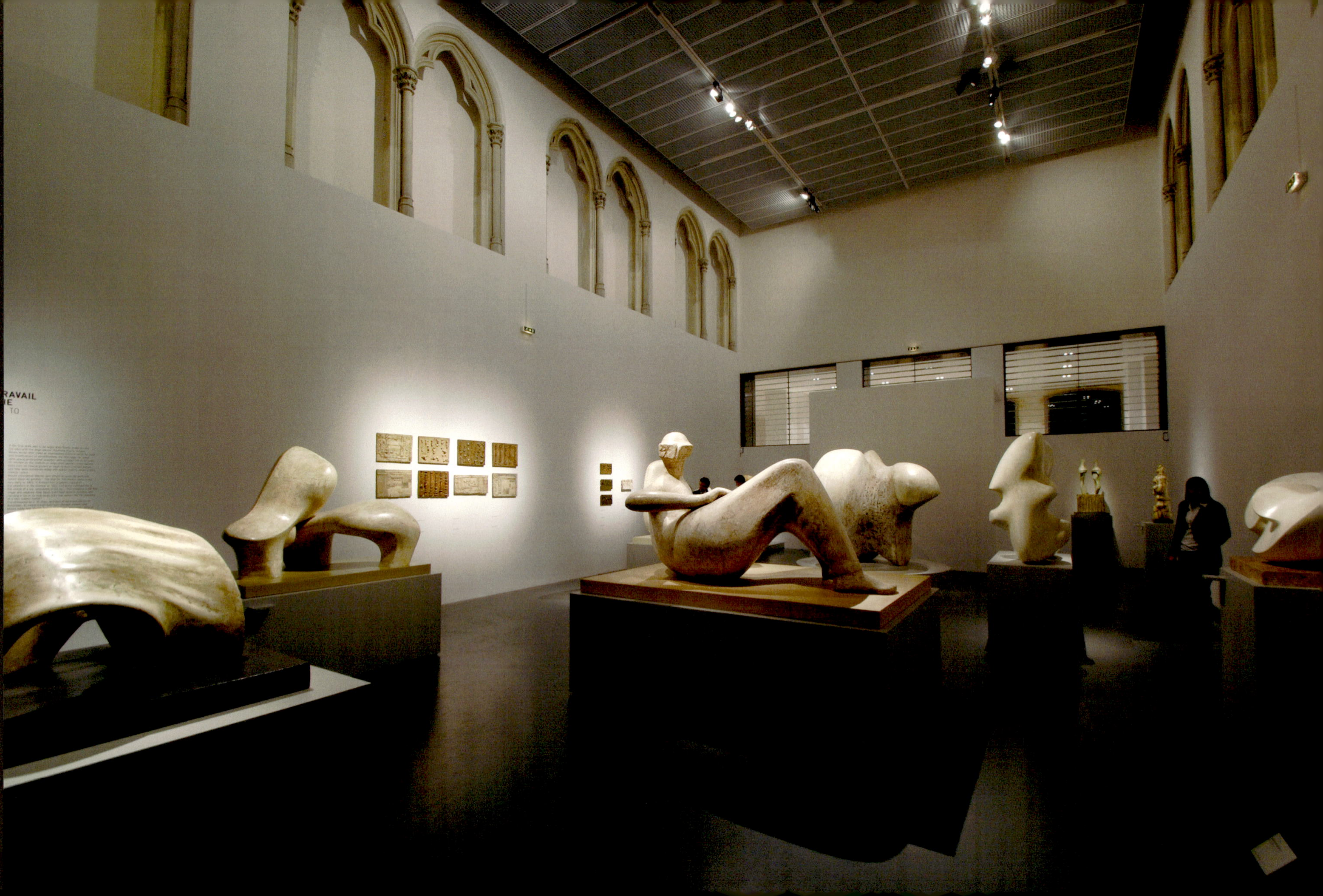

ヘンリー・ムーア――アトリエ展
Henry Moore - The Atelier
Henry Moore - l'Atelier

主催：ロダン美術館
展示デザイン：ディディエ・ブラン
Produced by Rodin Museum
Scenography by Didier Blin

Exposi&on Moore au musée Rodin, Paris 2011.

美しい影をつくる

パリで最も雰囲気のある美術館のひとつロダン美術館で、20世紀イギリスを代表する彫刻家ヘンリー・ムーアのアトリエが再現されることになった。チャペルを改修した特別展示室は天井が高く、運び込まれた作品のボリュームが映える空間だが、照明調整は難しい。特に、複雑な形体が入れ子状態になった彫刻は、光が当てがたく、現場で試行錯誤を繰り返した。「綺麗な影をつくることに専念しよう」と思った瞬間から迷いが消えた。完成形を見たキュレーターが、「照明が余りに綺麗だから、夜だけ開館したいくらい」と冗談に言った言葉が心に残った。

Creating beautiful shadows

Held at the Rodin Museum, one of the most atmospheric art museums in Paris, this exhibition recreated the studio of sculptor Henry Moore, one of the great English sculptors of the 20th Century. The lighting adjustments were difficult due to the high ceiling of the special exhibition room, which was a renovated chapel, although the space looked tremendous when it was filled with large volume of works. In particular, sculptures with complex forms in a nested structure proved difficult to show up with light, and it took much trials onsite. My worries dissipated, however, from the moment I decided to "concentrate on creating beautiful shadows." The curator, on observing the exhibition in its finished form, joking commented, "the lighting is so pretty, I think we will have to only open at night." And those words have stuck with me.

Création d'un esthétisme de l'ombre

Le musée Rodin est peut-être un des musées parisiens dont l'atmosphère est la plus envoûtante. C'est dans son charmant cadre qu'il a renoué avec Henry Moore, un des sculpteurs les plus représentatifs de l'histoire de la sculpture britannique du 20ème siècle, en reproduisant son atelier. Cette exposition exceptionnelle avait été organisée dans la chapelle rénovée, très haute de plafond, espace idéal pour accueillir l'ensemble des œuvres sélectionnées. En revanche, la mise au point de la lumière s'avérait difficile. J'ai dû renouveler les essais sur place tout particulièrement pour l'éclairage des sculptures aux formes complexes créées en emboitements. C'est à partir du moment où j'ai décidé de me concentrer sur la création de jolies ombres que mes doutes se sont estompés. Je garde en mémoire la réflexion du commissaire de l'exposition quand elle a découvert l'éclairage final, me disant en plaisantant que la lumière était si belle qu'il ouvrirait volontiers l'exposition uniquement le soir !

France 1500 展 —— 中世とルネッサンスの狭間で
France 1500 – Between the Middle Ages and Renaissance
France 1500 – Entre Moyen Age et Renaissance

前々ページ下写真左：シャルル7世の子供達の棺　DRAC（地方歴史的モニュメント保存センター）
前ページ写真中央：ノートルダム・ド・グラッス（1460-1480）トゥールーズ市オーギュスタン美術館蔵
同右：聖母子像　サン・ブノワ・ド・ベルガルド教会蔵
Photo de gauche - page précédente : Tombeau des enfants de Charles VII - avec l'accord de la Direction régionale des affaires culturelles du Centre (Conservation régionale des Monuments historiques)
Photo de droite - page précédente :
Au centre : Notre Dame de Grasse (1460-1480), musée des Augustins, Ville de Toulouse
A droite : Vierge à l'enfant - Eglise St Benoit de Bellegarde

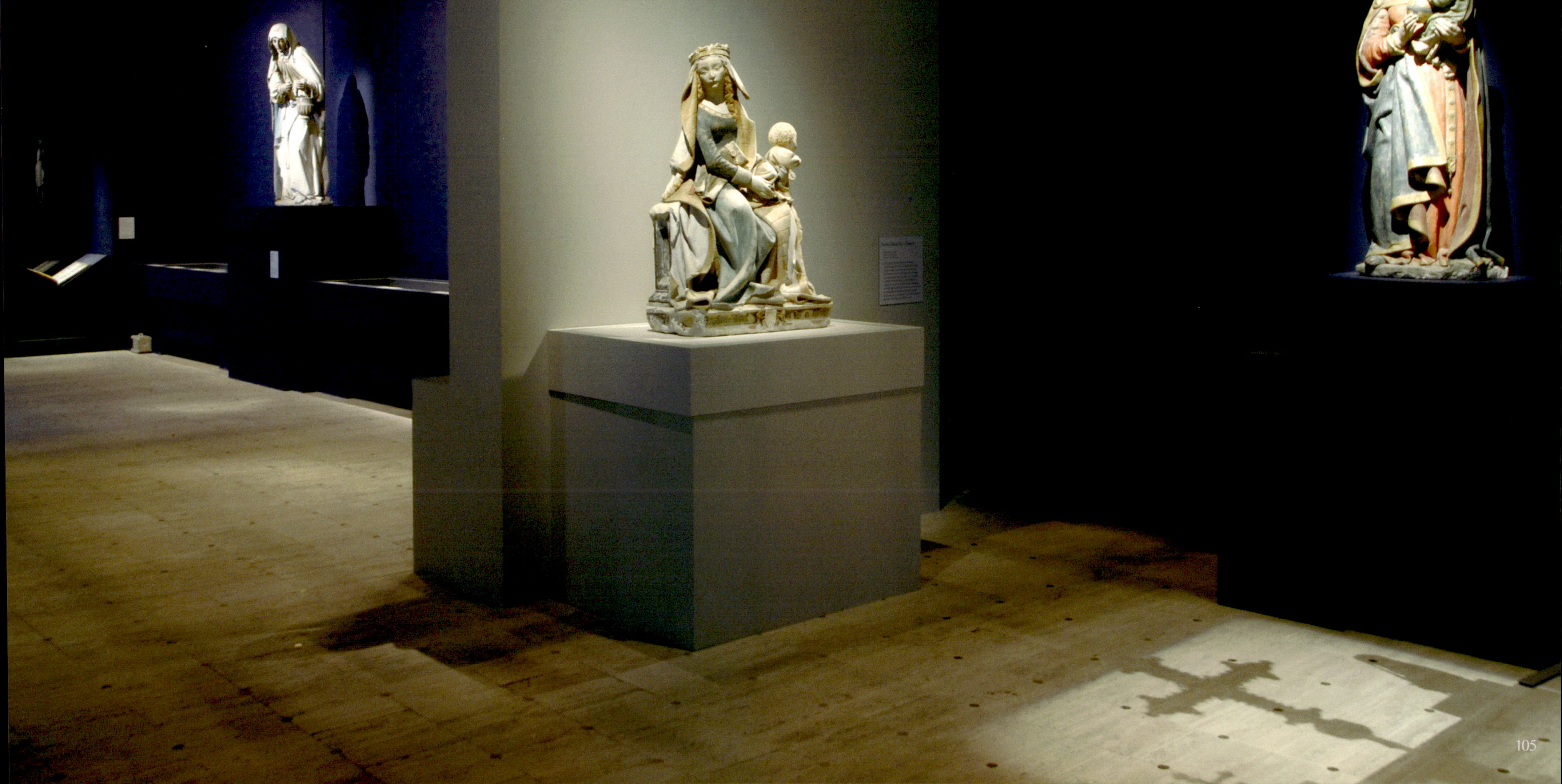

「暗黒の時代」の終焉に黎明
「中世とルネッサンスの狭間で」という副題が示すとおり、フランス史の過渡期となる1500年代をテーマとした大々的な企画展が開催され、照明デザインを担当した。写本、絵画、調度品、彫刻など重要な文化財ばかりが集結し、準備中の警備や緊張はものすごかった。保存のために展示照明の強さが限られているものばかり。少しでも50luxを超えると、照度計を持った保存担当官に追いかけられるような状態だったが、なんとか中世の教会堂内部の静謐さのようなものを光で再現しようと試みた。オープニングでは、「普段のうちの展示より綺麗に光を当ててもらってうれしい」と、作品を貸し出した美術館や教会の関係者から感謝された。

Dawn at the end of the Dark Ages
As the subheading "between Middle-Ages and Renaissance" states, this large exhibition was themed on the 1500s, which was a historical transitional period in France's art history, and the mission of lighting this exhibition fell to me. The artworks brought together by the exhibition were entirely made up of important cultural properties such as manuscripts, paintings, furniture, and sculptures, and so the security and tension that was present during preparation was immense. For every article, there were limitations placed on the allowable intensity of display lighting for the purpose of preservation. If my lighting exceeded 50 lux by any tiny amount, a preservation officer with luxmeter in hand would be chasing after me. Nevertheless, I attempted to design light to reproduce a place with the tranquility of inside a medieval hall, and at the opening, I received the comment: "I am very pleased with how the lighting gives a prettier effect than regular exhibitions." And I was thanked by the related parties that loaned the works.

L'aube se lève après l'obscurantisme
J'ai été chargée de la mise en lumière d'une manifestation d'envergure intitulée « Entre Moyen-Âge et Renaissance » qui, comme son nom l'indique, retrace l'histoire de l'année 1500, période artistique charnière pour la France. Elle présentait une collection de grande valeur - manuscrits, peintures, mobilier, sculptures - appartenant au patrimoine culturel français. La présence de ces oeuvres majeures entraînait d'ailleurs une tension et une surveillance importante durant les préparatifs. Comme leur conservation imposait un éclairage strictement limité à 50lux, je me suis efforcée de reproduire une lumière douce proche de celle d'un intérieur d'église au Moyen-Âge… À l'inauguration, les responsables des musées et des églises qui avaient prêté les œuvres sont venus me remercier en me disant leur joie de découvrir un éclairage qui surpassait celui de leurs établissements.

主催：フランス国立美術館グラン・パレ（パリ）
展示デザイン：ユベール・ル・ガール
Produced by RMN Grand Palais
Scenography by Hurbert le Gall

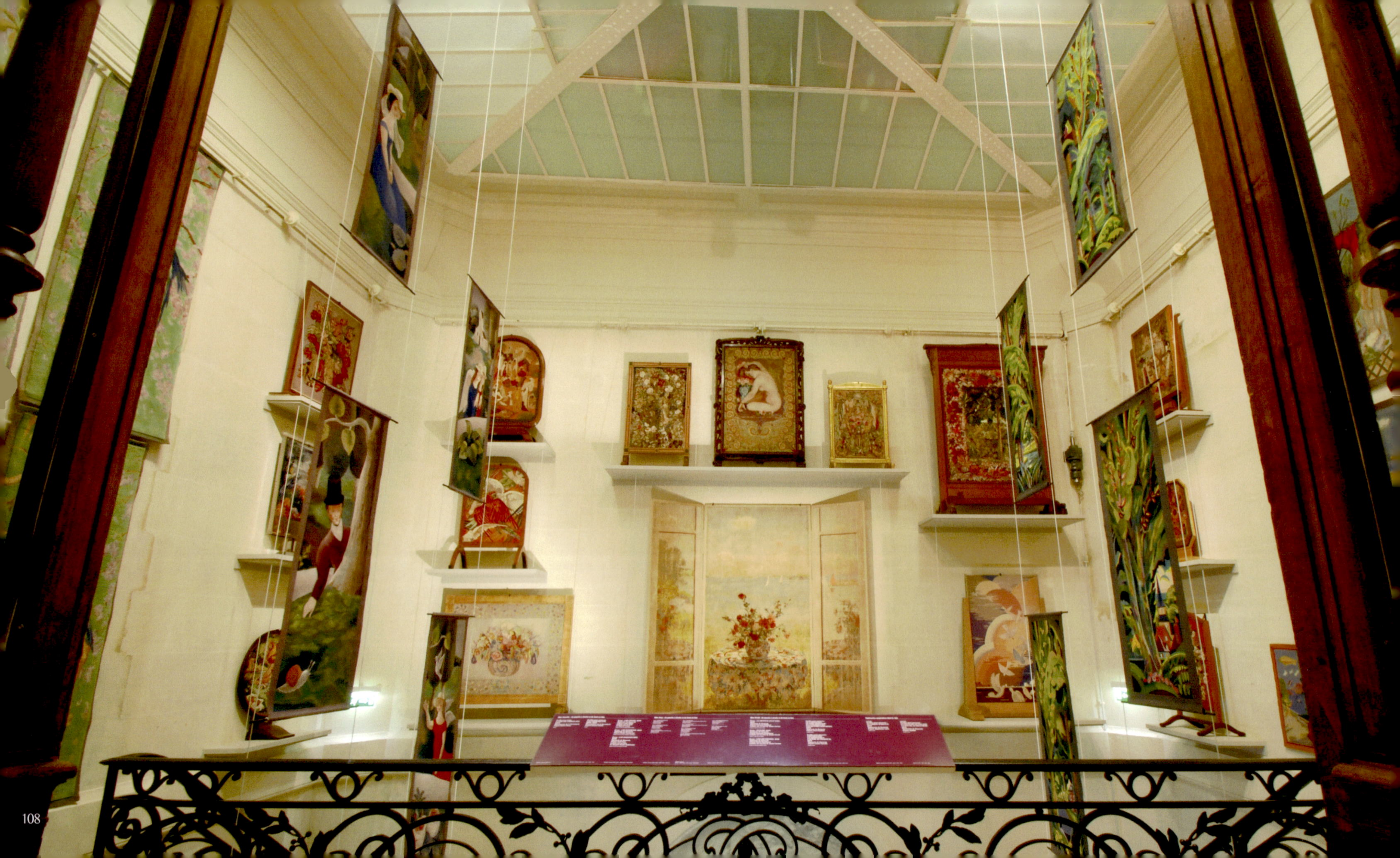

エレガンスとモダニティー展 —— フランスリバイバル
Elegance and Modernity (1908-1958) - a revival in French
Elégance et Modernité (1908-1958) - un renouveau à la française

美術品展示とサロンの雰囲気を両立

パリ南西部に位置する国立ゴブラン工房は、王立ゴブラン織物工場に端を発し、現在はその膨大なコレクションを保存・修復・展示する任務を担っている。2009 年、デュフィーやルドンなど 20 世紀前半の有名画家による下絵を綴れ織りにして家具に仕立てた作品の特別展が開催された。椅子や衝立を単なるオブジェとして陳列するのではなく、使われていた場所の雰囲気を喚起させるため、照明はサロンで使われる温かい白色で、談話の中心を暗示する光だまりをつくるなど、コンテクストを再現することを心がけた。織物のテクスチャーを引き立てる光の当て方を、私はここで体得した。

Coexistence of artwork exhibition and salon atmosphere

The Mobilier National and Manufactures Nationales Des Gobelins, located in southwest Paris is currently undertaking the job of preserving, restoring and exhibiting its giant collection that originated from the Royal Gobelins Manufactory. In 2009, a special exhibition was held of furniture works that comprised tapestries woven from sketches by famous artists of the early 20th century such as Dufy, Redon and so on. Rather than the chairs and folding screens being displayed as stand-alone objects, I attempted to recreate by lighting design the atmospheres of the places in which they were used. As such, I set my mind to reproducing the context with warm white lighting like in salons at that time, and creating brighter zones to suggest the focus of conversation. Here, I gained valuable experience in methods of directing light to accentuate the textures of the tapestries.

主催：ギャラリー・デ・ゴブラン（パリ）
展示デザイン：ディディエ・ブラン
Produced by Galerie des Gobelins
Scenography by Didier Blin
Collections du Moblier National

Concilier exposition artistique et atmosphère de salon

Le Mobilier National situé dans le sud-ouest de Paris a pour origine la célèbre Manufacture des Gobelins. Sa mission est de conserver, restaurer et exposer sa très importante collection. En 2009, le musée a organisé une exposition thématique de mobilier comprenant des tissages aux motifs reproduisant des peintures majeures de la première moitié du 20ème siècle telles que celles de Dufy, Redon etc. Afin d'éviter de présenter des chaises ou des paravents comme de simples objets, mais d'évoquer le contexte dans lequel ils étaient utilisés à l'époque, je me suis ingéniée à reproduire cette atmosphère par une lumière blanche et chaude, proche de celles des salons, recréant l'ambiance des rencontres et des conversations de l'époque. Cette expérience m'a beaucoup appris sur la façon de mettre en valeur la texture d'un tissage grâce à la lumière.

主催：フランス国立美術館グラン・パレ
展示デザイン：ディディエ・ブラン
Produced by RMN Grand Palais
Scenography by Didier Blin

©2015 The Andy Warhol Foundation
for the Visual Arts, Inc. / Artists
Society (ARS), New York & JA
Tokyo
X0019

アンディー・ウォーホルの世界展
The Great World of Andy Warhol
Le Grand Monde d'Andy Warhol

白色光が開くモダンアートの扉
アンディー・ウォーホルのポートレート作品130点を世界中のコレクターから集めた大々的な展覧会が、フランス国立美術館協会によって、パリの展示場の最高峰のひとつグランパレで開催された。その会場照明という大役を仰せつかった私は、実はまだ美術照明の経験が浅かった。重圧をはねのけるために、とにかく現場に通った。それまで観察してきた展示会照明を思い起こしつつ、立ち上がっていく壁や作品の吊り込みを見つめ、美術史におけるウォーホルの位置づけを見直す内に、自ずと取るべき照明手法が見えてきた。「最適な白」を選ぶことが鍵だ、と。キュレーターや展示デザイナーとこの点を確認後は、水を得た魚の気分だった。

The modern art discovered by white light

A large exhibition of 130 Andy Warhol portrait works brought together by Reunion des Musees Nationaux from collectors around the world was held at the Grand Palais, one of the foremost exhibition spaces of Paris. I was given the huge task of providing the lighting for this exhibition, and to be truthful, my experience with art exhibitions was shallow at the time. In order to put such pressures aside I visited the exhibition preparation every day. While keeping in mind the exhibition lighting that I had observed up until then, I watched how the walls were erected and how the works were hung. While contemplating the reappraisal of Warhol's place in art history, I was able to envision the lighting approach that I should take. The point was choosing the "optimum white." After consulting with the curator and exhibition designer on this point for confirmation, I felt like a fish in water.

Découvrir l'art moderne grâce à la lumière blanche

Une exposition majeure s'est tenue dans les Galeries Nationales du Grand Palais, présentant une sélection de 130 portraits réalisés par Andy Warhol, en provenance de diverses collections à travers le monde. Je me suis vue confier l'énorme responsabilité de cette mise en lumière alors que je n'avais encore que peu d'expérience dans ce domaine. Prenant le taureau par les cornes, j'ai décidé de rester sur place très longtemps pendant le montage. Me rappelant les éclairages muséographiques que j'avais vu jusque-là, j'ai observé en détails la scénographie et l'accrochage des œuvres. Finalement, c'est en reconsidérant la position de Warhol dans l'histoire de l'art que j'ai eu naturellement la révélation de la méthode d'éclairage que je devais adopter. L'essentiel tenait en fait dans le choix du meilleur blanc. Après avoir reçu confirmation de ma proposition auprès du commissaire et du scénographe, je me suis enfin sentie complètement dans mon élément.

113

Lighting that awakens the works

Designed by Jean Nouvel, the Quai Branly Museum is the art museum in Paris specializing in primitive art that drew interest as a national project when it was constructed. The museum decided to hold its first painting-centered special exhibition in which the paintings by Australian aboriginal artists from the 1960s onward were to be appreciated in the framework of contemporary art, and the exhibition space was designed to have a white neutral undertone. As the ceiling is exceptionally complicatedly structured for an art museum, it proved very difficult to cost the uniform white light suitable for contemporary art. When I used supplementary light to bring out the works that had sunken back because they were comprised of mostly browns, it appeared as if the fine details of the intricate paintings had awoken and had begun speaking to us. It was an awesome experience to reconfirm the power of light.

Lumière, révélatrice des oeuvres

Le musée d'art primitif du quai Branly, dont l'architecture réalisée par Jean Nouvel a fait beaucoup parler au niveau national, a organisé une exposition temporaire centrée sur la peinture aborigène. Afin de réinterpréter des tableaux australiens des années 60 dans le cadre de l'art contemporain, la scénographie était conçue dans une dominante de blanc pour obtenir un fond d'une parfaite neutralité. L'immense difficulté consistait à diffuser une lumière blanche uniforme vers l'ensemble des cimaises, depuis un plafond à la structure totalement unique faite d'enchevêtrements complexes. Au moment où j'ai appliqué un éclairage complémentaire sur les œuvres, souvent composées dans des tons de brun profonds, j'ai eu une sorte d'illusion d'optique, comme si les plus minuscules éléments des tableaux prenaient vie et se mettaient à parler. C'est alors que j'ai ressenti une fois encore cet émerveillement devant le pouvoir de la lumière.

At Sources of Aboriginie paintings
Aux sources de la peinture Aborigène

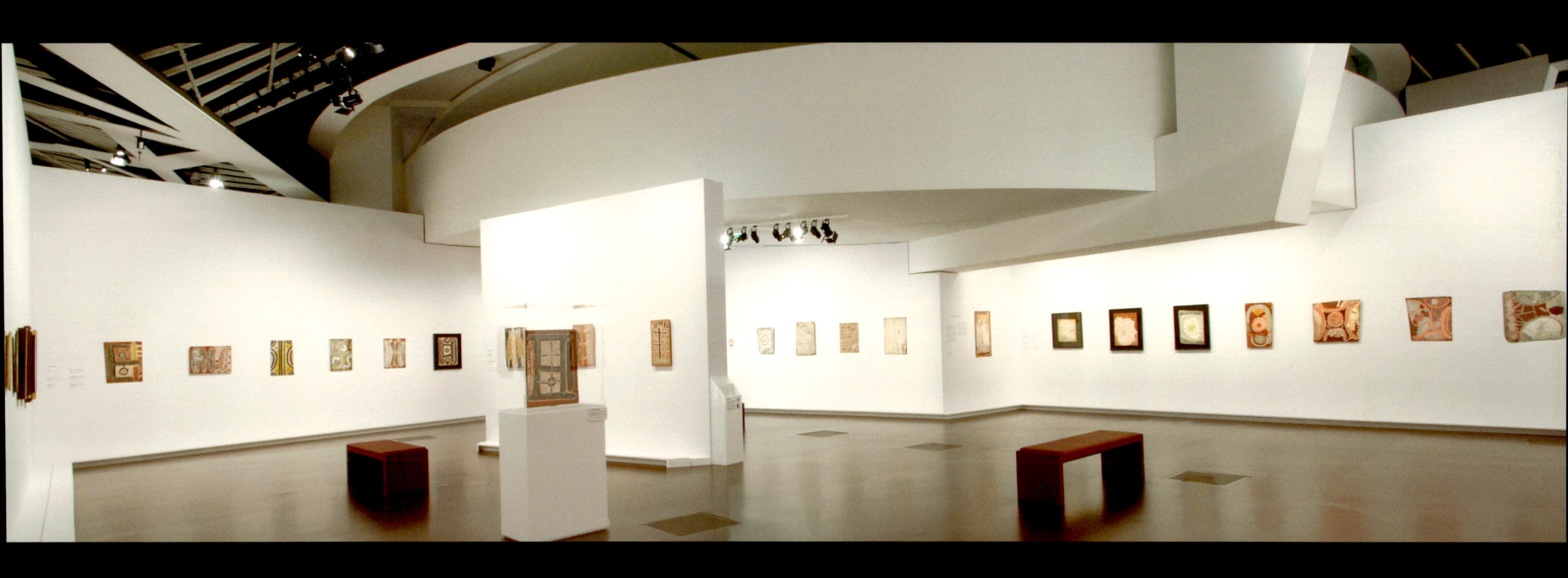

作品を目覚めさせる光
ジャン・ヌーベル設計の国家的プロジェクトとして話題を呼んだパリのプリミティブアート専門のケ・ブランリー美術館で、初めて絵画中心の特別展が開催されることとなった。オーストラリアのアボリジニーが1960年代から描いてきたタブローを、現代アートの枠組みで評価するため、会場構成には白を基調にしたニュートラルなものがデザインされた。美術館としては異例なほど複雑に入り組んだ天井から、コンテンポラリーアート的な白い均一光を壁全体に施すのにはかなりの技術力が求められた。その上に、沈んだ褐色中心の作品を浮き上がらせるための照明を補ったとき、細密画の細部が目覚めて語りかけてくるような錯覚を覚えた。光の威力に、改めて目を見張らせられた。

主催：ケ・ブランリー美術館
展示デザイン：ディディエ・ブラン
Produced by Quai Branly Museum
Scenography by Didier Blin

Lighting for Conservation and Light to Show

I handled the lighting for the solo exhibition of English artist Brigitte Riley, representative exponent of the op art movement that aimed for special effects through the principle of optical illusion. Intent on making the lighting that is as neutral as possible, the engineering side of me strove to bring out the visual effect of this original style. As a result of loyally being the engineer and keeping light levels to exhibition prescribed levels, the artist Ms. Riley complained it was too dark. Although the lighting was in compliance with the prescribed brightness decided by the art museum for preserving the works, Ms. Riley, creator and owner of the works said, "These are mine, so I'll decide." And with that, the brightness was increased. It was an encounter with a clash between the lighting standards of an art museum and the pursuit of ideal light for bringing out the appeal of the art.

Eclairage de conservation et Lumière attractive

On m'a confié l'éclairage de l'exposition de l'artiste britannique Bridget Riley, figure représentative de l'Op Art. Pour ce projet, j'ai pris soin, en me plaçant du point de vue d'une technicienne, de créer une lumière parfaitement neutre tout en créant un effet visuel original. Le résultat étant un éclairage simulant la lumière du jour, montrant bien les oeuvres et leurs effets visuels, dans l'ensemble de l'exposition. C'est alors que j'ai reçu une demande de l'artiste qui souhaitait élever l'intensité lumineuse dans les salles de dessin particulièrement. Cette recherche d'une lumière adaptée a donc dû être menée en tenant compte d'une double contrainte : le respect des critères d'éclairage des musées et la mise en valeur des œuvres. Ce fut pour moi une expérience exigeante mais très enrichissante

保存の照明と魅せる光のせめぎ合い

錯覚の原理を駆使して特殊な効果を狙ったオプ・アートの代表格であるイギリス人アーティストの個展で、照明を担当することとなった。極力ニュートラルな照明を心がける技術者に徹し、独特な作風の視覚効果を引き立てることに専念した。あまりに忠実にエンジニアに徹し、素描の展示室を規定通りの低照度に抑えていたら、アーティスト本人から暗いとクレームが来た。美術館側は作品の保存のために決められた照度を遵守する姿勢を取ったが、作者であり作品の持ち主であるライリー氏が「これは私のものだから私が決める」の一言で、照度がアップすることになった。美術館照明における基準と、アートを魅せるための理想的な光との間にある齟齬を感じる経験だった。

ブリジット・ライリー展
Bridget Riley
Bridget Riley

主催：パリ近代アート美術館　展示デザイン：ニコラ・ユゴン
Musée d'Art moderne de la Ville de Paris   Scenographer : Nicolas Hugon
© Bridget Riley 2015. All rights reserved, courtesy Karsten Schubert, London

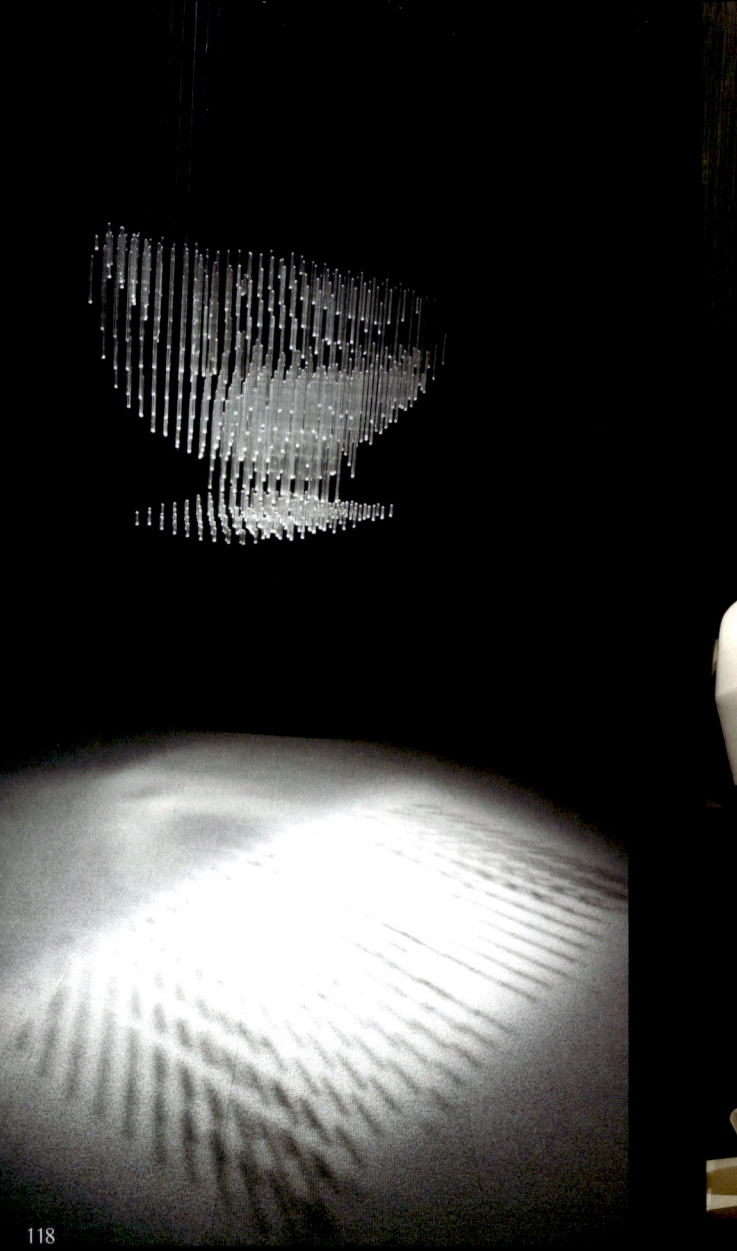

Lighting that projects the idea of "a chair"
I was contacted by Shigeru Ban who requested, "A retrospective exhibition of a famous French furniture designer is in preparation at the Ginza Chanel Nexus Hall. Lighting is going to be an important factor, so I really want your help." When I heard the purpose of the curation, I realized it was not simply the exhibition of chairs, but rather to encounter the real chair for the first time after appreciating the abstract concept of "chair" and the form at the design stage. In order to emphasize the non-materiality of introductory part and design stage various lighting expressions were investigated such as a symbolic crystal objet floating up to the light, and a corridor with chair silhouettes. In order to produce an exhibition design that would allow light and shadow to flourish, I made several requests to the architect from the perspective of the lighting design concerning the volume and form of the scenography design, as well as the material. This was all worth it, as the exhibition design produced mystical effects and the exhibition received rave reviews.

Lumière, reflet de la « chaise » idéale
L'architecte Shigeru Ban m'a contactée pour me demander de collaborer aux préparatifs de la rétrospective de l'œuvre du designer Pierre Paulin prévue au Chanel Nexus Hall de Ginza, car l'éclairage était un élément très important du projet. Pour le commissaire de l'exposition, il ne s'agissait pas seulement d'exposer du mobilier, mais il s'agissait surtout d'amener les visiteurs à rencontrer pour la première fois la « véritable » chaise, après en avoir apprécié le concept abstrait, et la forme au stade de la conception, notamment. Afin de souligner la non-matérialité du prélude à la création et de la phase du design, nous avons exploré diverses mises en lumière telles qu'un objet en cristal flottant dans un faisceau de lumière, ou encore une galerie ponctuée par les silhouettes des chaises. J'ai fait des demandes de modifications au scénographe, du point de vue de l'éclairage, afin de mettre en valeur par la lumière et l'ombre plusieurs aspects des créations. Mes efforts semblent avoir porté leurs fruits car l'atmosphère mystérieuse a été très appréciée.

ピエール ポラン —— デザインフォーエバー
Pierre Paulin - Design forever
Pierre Paulin - Design pour toujours

イデアの「イス」を映す光
「フランスの有名家具デザイナーの回顧展が、銀座シャネル・ネクサスホールで準備中で、光が重要なファクターになるので、是非手伝ってほしい」と坂茂氏から連絡をいただいた。キュレーションの意図を聞くと、ただ椅子を陳列するのではなく、「イス」という抽象概念、デザイン段階のフォルムなどを鑑賞した後、初めて本物の椅子に遭遇するようにしたい、という。デザイン段階での非物質性を強調するため、象徴的なクリスタル・オブジェが光に浮かび上がる導入部、椅子のシルエットを辿る回廊などが検討された。光と影が映える展示デザインにするため、造作のボリュームや形、素材にも照明デザインの観点から、いくつも注文を聞いてもらった。その甲斐あってか、神秘的ともいえる会場デザインで、展覧会は好評を得た。

主催：シャネル・ジャパン
展示デザイン：坂茂建築設計
Produced by Chanel Japan
Scenography by Shigru Ban Architects
At Chanel Nexus Hall

ヌーボー・パリ展
New Paris
Les Nouveaux Paris

疑似都市空間の光のオアシス

都市建築関連専門のパリ市立展示施設アルセナルで、伊東豊雄氏が会場デザインを担当する都市計画展が企画され、照明を依頼された。白い布を張り巡らせた柔らかいデザインを見せられたとき、白霧に包まれたような光空間ができたらと考えた。一方、内側の吹き抜けに面した部分にはアルミ・グリッドに嵌め込んだ展示ケースがまるで高層ビルの窓のように配置されるという。カーテンを室内の雰囲気、グリッドを屋外の様相に見立てて、光の色味にコントラストをつけた。外光が入る会場は明るさの調整が難しかったが、一度夜になると、居心地の良い、優しい明かりに包まれるような場ができた。

主催：アルセナル・ド・パリ
展示デザイン：伊東豊雄建築設計事務所
Produced by Arsenal of Paris
Scenography by Toyo Ito Architects & Associates

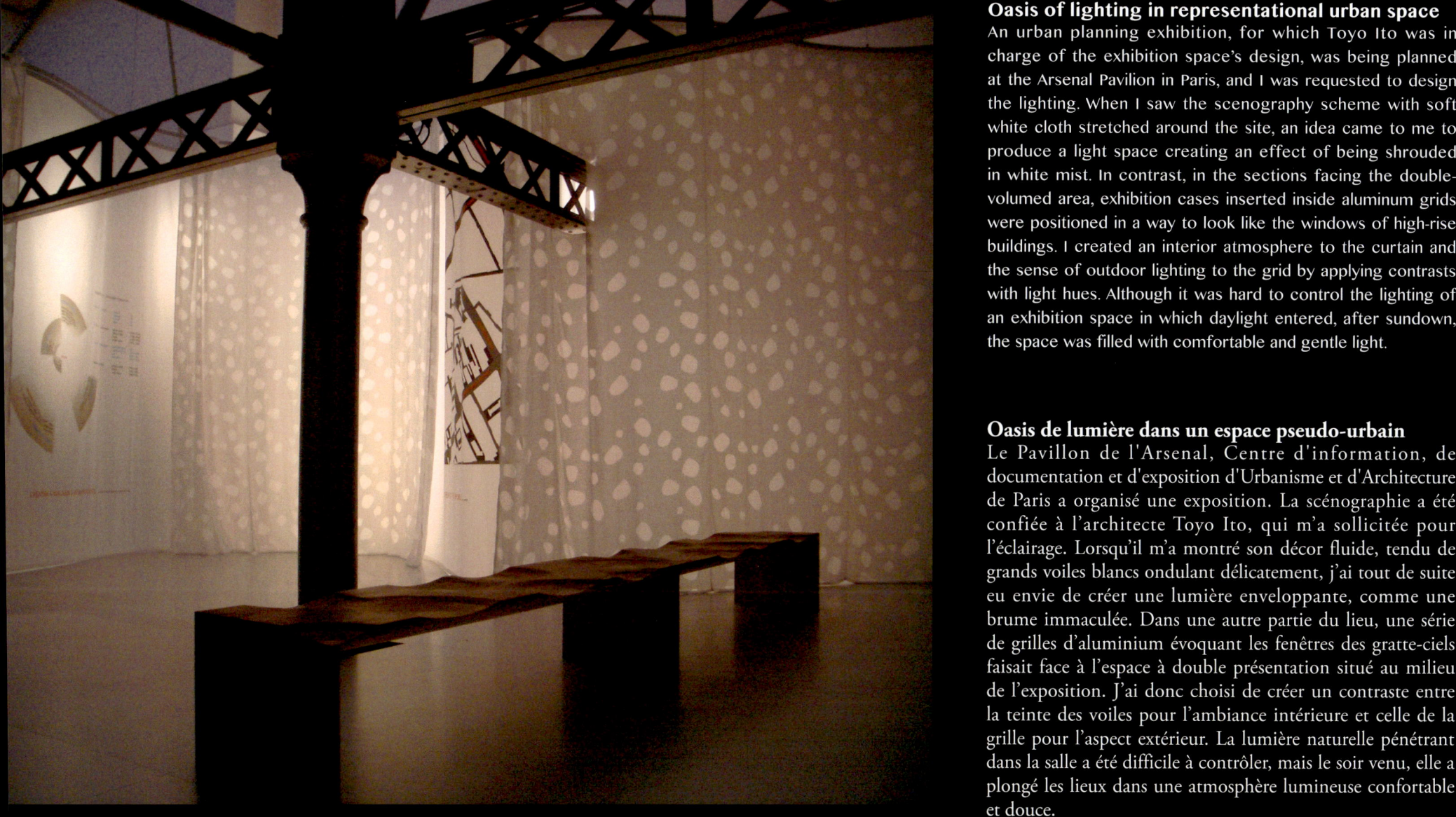

Oasis of lighting in representational urban space

An urban planning exhibition, for which Toyo Ito was in charge of the exhibition space's design, was being planned at the Arsenal Pavilion in Paris, and I was requested to design the lighting. When I saw the scenography scheme with soft white cloth stretched around the site, an idea came to me to produce a light space creating an effect of being shrouded in white mist. In contrast, in the sections facing the double-volumed area, exhibition cases inserted inside aluminum grids were positioned in a way to look like the windows of high-rise buildings. I created an interior atmosphere to the curtain and the sense of outdoor lighting to the grid by applying contrasts with light hues. Although it was hard to control the lighting of an exhibition space in which daylight entered, after sundown, the space was filled with comfortable and gentle light.

Oasis de lumière dans un espace pseudo-urbain

Le Pavillon de l'Arsenal, Centre d'information, de documentation et d'exposition d'Urbanisme et d'Architecture de Paris a organisé une exposition. La scénographie a été confiée à l'architecte Toyo Ito, qui m'a sollicitée pour l'éclairage. Lorsqu'il m'a montré son décor fluide, tendu de grands voiles blancs ondulant délicatement, j'ai tout de suite eu envie de créer une lumière enveloppante, comme une brume immaculée. Dans une autre partie du lieu, une série de grilles d'aluminium évoquant les fenêtres des gratte-ciels faisait face à l'espace à double présentation situé au milieu de l'exposition. J'ai donc choisi de créer un contraste entre la teinte des voiles pour l'ambiance intérieure et celle de la grille pour l'aspect extérieur. La lumière naturelle pénétrant dans la salle a été difficile à contrôler, mais le soir venu, elle a plongé les lieux dans une atmosphère lumineuse confortable et douce.

主催：アラブ世界研究所（パリ）
展示デザイン：ディディエ・ブラン
Produced by Institut du Monde Arabe
Scenography by Didier Blin

身体の発見展
Discovered Body
Le Corps découvert

アラブの春に陽光
アラブの春を受けて、パリにあるアラブ文化発信基地では、アラブ系アーティストによる身体表現をテーマにした展覧会が開催された。イスラムではヌードどころか、偶像自体が禁止されているため、人体をモチーフにする作品の出現は最近のことだそうだが、多岐にわたるアート表現が集まった。それらをまとめた展覧会を照明するのは、いつも難しい。アカデミックな彫刻から、写真、現代アートに至るまで、各作品が映え、最も見やすい光環境をつくり出すため、10日間ほど美術館に籠もった。終わってみたら外は春になっていた。

Sunlight on the Arab Spring
Following the Arab Spring, an exhibition themed on body expression by Arab artists was held in the center of Arab cultural dissemination in Paris. Not merely the nude but also idols in themselves are prohibited in Islamic culture. As such, the expression of works that use the body as a motif is a recent phenomenon. However, that said, a broad range of art expression was compiled, and providing lighting for such a composite exhibition is always difficult. It took me about 10 days of concentration at the museum before I was able to create the optimum lighting environment to bring out the splendor of every work including sculptures, photos and contemporary art. Then when I looked outside after finishing, spring had arrived...

Lumière sur les printemps arabes
À la suite des printemps arabes successifs, une exposition sur l'expression du corps par des artistes d'origine arabe a été présentée à Paris, lieu de diffusion majeur de la culture musulmane. Dans l'islam, la représentation des idoles et du nu à fortiori étant interdite, les œuvres reproduisant le corps humain ne sont apparues que très récemment. De nombreuses créations portant sur ce sujet ont donc été réunies à cette occasion. Il est toujours très complexe de mettre en lumière un regroupement de diverses formes artistiques. Je me suis enfermée pendant dix journées complètes dans le musée pour trouver le type de lumière qui convienne le mieux à cette palette créative composée de sculptures classiques, de photos ou encore de pièces d'art contemporain. Quand j'en suis enfin sortie, j'ai réalisé que dehors, le printemps était arrivé…

124

黄金の国ジパングの光
日仏修好150周年を記念して、日本の工業デザインを紹介する展覧会が、パリ・ルーヴル宮にある装飾美術館にて開催された。展示の中心には、金泥のような色に輝くシンボリックな木の彫刻や、その奥には池坊による華のインスタレーションがなされるという。イベント用の多色投光器で劇的に照らせばと言われるのを否定して、あえて黄金を美しく見せる小型のスポットを多用し、影が重層的に外側に広がっていくような照明を施した。オブジェの存在感が増し、陰翳を大切にする日本文化を、光の当て方で表現した。

感性展
Kansei
Kansei

主催：JETRO
Produced by JETRO

Lighting of the golden empire Zipangu
To commemorate the 150th Anniversary of the friendship between France and Japan, an exhibition showcasing Japanese industrial design was held at the Decorative Arts Museum in the Louvre Palace in Paris. At the center of the exhibition was a symbolic tree sculpture that sparkled with golden mud color, while behind it was an installation of flowers in the ikenobo-style of ikebana. I decided against dramatic lighting using event-purpose multicolored floodlights, and purposely used many small spotlights that beautifully brought out the golden color and produced lighting that spread to the outer walls to cast multiple layers of shadows. This increased the objects' power of presence to express how Japanese culture places importance on the shadows.

Lumière de Zipangu, le pays doré
À l'occasion du 150ème anniversaire des relations diplomatiques entre la France et le Japon, une exposition sur le design industriel japonais a été programmée au Musée des arts décoratifs du Louvre. En son centre trônait une sculpture symbolique, un arbre recouvert de peinture or, et au fond, une installation d'art floral de l'école Ikenobo. Au lieu de suivre les suggestions de l'équipe évènementielle, j'ai au contraire choisi d'utiliser un ensemble de petits spots pour magnifier la couleur or et propager graduellement l'ombre vers l'extérieur. Cette façon de diffuser la lumière, m'a permis de souligner la présence des objets grâce à la beauté des ombres, rappel des nuances chères à la culture japonaise.

神の白・紙の白
日本の車デザインとその文化背景をフューチャーする展覧会が、パリのラ・ヴィレット科学博物館、続いてロンドンの科学博物館で開催された。坂茂氏から、ストイックで端正な展示デザイン案を見せられたとき、すでに展示業者からの提案として鈴なりにぶら下がった大型投光器から煌々と車を照らす、モーターショー式の照明計画が添付されていた。「ナンセンスです」と即時に否定し、代わりに展示ストラクチャーに寄り添うように設置した数本の蛍光灯だけで照明する案を出した。「車を蛍光灯で照らすなんて見たことないが大丈夫か」という関係者の懸念を押し切り、徹夜作業の後、開場2時間前に作業灯が消えたとき、そこに現れたのは書院の障子から室内に染みこむような、あの厳かな日本的な明かりの世界だった。白を大切にするグラフィックデザイナーにも納得してもらえる結果だった。

Sacred white, paper white

An exhibition that features Japanese car design and its cultural background was held in the Cite des sciences et de l'industrie at La Villette, in Paris, and then at the British Museum in London. When I was shown the stoic, clean-cut exhibit design proposal by Shigeru Ban, it already came attached with a motor-show-like lighting plan in which the exhibition crew proposed hanging a cluster of large spotlights to provide bright illumination for the cars. I dismissed the proposal as "nonsense" and instead proposed lighting the exhibits with only several fluorescent tubes positioned in lines perfectly integrated in the exhibition structure. My proposal aroused concerns among related parties, and was asked such questions as, "I haven't seen cars lighted up before with fluorescent light, are you sure it will be okay?" Then, two hours before opening, after working through the night, we turned off the operation lights to reveal a sight similar to what we would see inside of a traditional Japanese room where the exterior light is diffused by the paper—that world of Japanese lighting. It was an effect that convinced even the graphic designer, who takes the quality of white very seriously.

Blanc du sacré • Blanc du papier

Une exposition présentant le design des véhicules japonais et leur contexte culturel s'est déroulée successivement à la Cité des Sciences (Paris) et au Science Museum (Londres).
Quand Shigeru Ban m'a montré son projet scénographique empreint de stoïcisme et d'harmonie, il était déjà accompagné d'un plan lumière proposé par un prestataire, dans le pur style des salons automobiles, avec ses gros projecteurs agressifs suspendus au-dessus des véhicules comme des cloches. J'ai tout de suite pensé que c'était absurde de répéter ce schéma et j'ai suggéré à la place d'utiliser des lampes fluorescentes en alignement sur la structure du stand. Malgré l'appréhension de l'équipe responsable très dubitative sur ce genre d'éclairage pour l'automobile, et après des nuits passées sur l'installation, quand les lumières de service se sont enfin éteintes, c'est une luminosité à la japonaise, rappelant l'intérieur tamisé d'une architecture traditionnelle, qui s'est révélée. Même le graphiste, pour qui la couleur blanche était la signature, a été convaincu !

JAPAN CAR 展 —— 飽和した世界のためのデザイン
Japan Car - Designs for the Crowded Globe
Japan Car - Créations pour un monde saturé

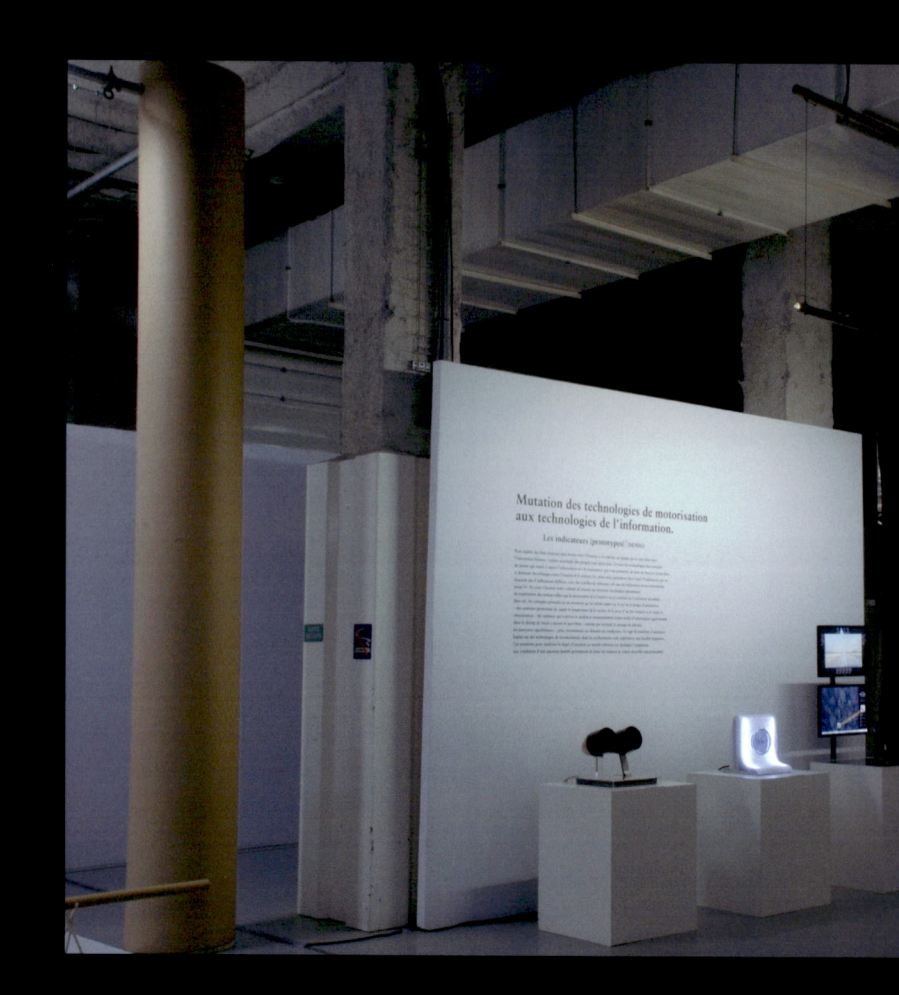

127

河の女展
The Lady of the river
La Dame du fleuve

主催：ケ・ブランリー美術館（パリ）
展示デザイン：グレゴワール・ディル＆ティエリー・パイエ
Produced by Quai Branly Museum
Scenography by Gregoire Diehl & Thierry Payet

光のモジュール
ケ・ブランリー美術館常設展示室にある中央中2階が、開館以来初めて全面改装されることになった。こじんまりしたスペースに、多様な展示デザインに対応できるモジュールを提案し、コンペに優勝した。多機能を詰め込んだ可動式展示ケースを設置した後、初めての展覧会の照明で早速実践した。パプア・ニューギニア先住民のアートは、素材も形体も多様だったが、いずれもキュレーターが満足のいく照明が実現でき、モジュールの高性能を証明することができた。

Lighting modules
The permanent exhibition area in the center loft of the Quai Branly Museum was to undergo its first complete remodeling. We won the competition with a proposal of modules that are able to support a variety of exhibition designs inside modest spaces. As soon as these multi-functional movable exhibition cases were installed, I attempted the first exhibition lighting. The primitive art of Papua New Guinea is extremely diverse in both materials and form. Nevertheless, I was able to produce lighting that satisfied the curator and also prove the highly functional performance of the modules.

Modules de lumière
Pour la première fois depuis son ouverture, le musée du quai Branly avait décidé de réaménager entièrement la mezzanine centrale de sa galerie d'exposition permanente. Nous avons remporté le concours en proposant des modules adaptables aux différentes scénographies. Ce nouveau système de vitrines flexible a été mis en application dès la première exposition. Elle comprenait une grande variété de matières et de formes liées à l'art autochtone de la Papouasie-Nouvelle-Guinée. Mon concept a plu au commissaire et m'a permis de prouver la performance des modules eux-mêmes.

悲しき熱帯の謙虚な光
エルヴェ・ディ-ロザは、南仏を拠点に世界中の大衆アートのコレクターであり、自ら制作活動を行うアーティストである。人類学者レヴィ-ストロースの『悲しき熱帯』をもじって「謙虚な熱帯」と題した同氏の個展が、パリのプリミティブアートを専門とする国立博物館で開催された。全体的に暗く雰囲気のあるこの博物館の中に、忽然と現れた極彩色のキャラクターなどを照明するのは、サプライズ感とハーモニーのせめぎ合いを光で調整するするような作業だった。

Modest lighting for the Sad Tropics
Herve Di Rosa is an artist, based in the south of France with a collection of popular-culture art from around the world and also his own creation activities. His solo exhibition called "Modest Tropics," a play on the book title "Sad Tropics" by anthropologist Levi Strauss, was held at the Quai Branly Museum. My work mostly focused on adjusting light to find the right balance between the conflicting elements of surprise and harmony in order to light up the extremely colorful characters that suddenly appear inside the museum, which has an overall dark atmosphere.

Lumière discrète pour tristes tropiques
Hervé Di Rosa est un artiste du sud de la France qui possède une grande collection d'art populaire venant du monde entier. Une exposition monographique s'est tenue au musée du quai Branly sous le titre « Modestes Tropiques », nom inspiré de l'ouvrage phare de l'anthropologue C. Lévi-Strauss. Dans l'atmosphère sombre du musée, pour la mise en lumière des figurines aux couleurs très vives, il m'a fallu trouver un bon équilibre entre l'effet de surprise et le respect de l'harmonie générale.

モデスト・トロピック展
Modests Tropics
Modestes Tropiques

主催：ケ・ブランリー美術館（パリ）
Produced by Quai Branly Museum

主催：バーレーン国立博物館
展示デザイン：ディディエ・ブラン
Produced by Bahrain National Museum
Scenography by Didier Blin

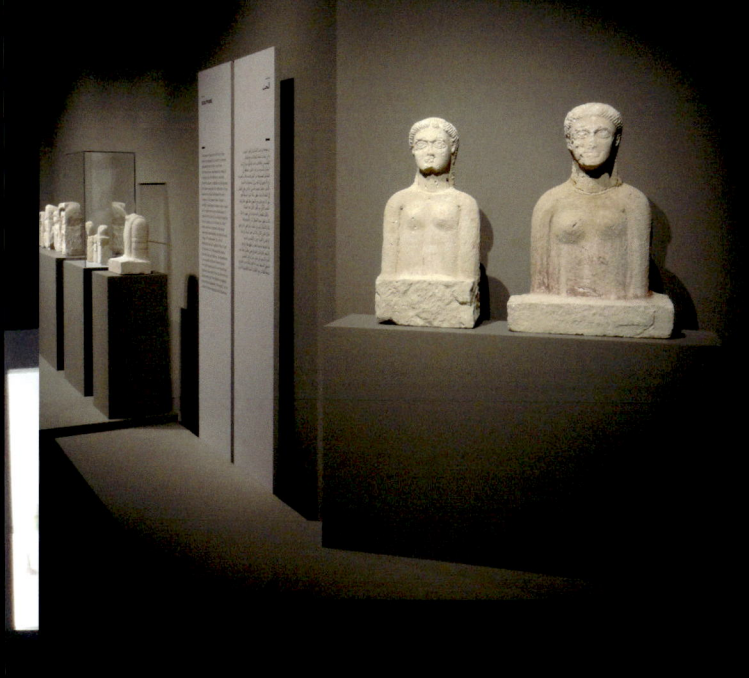

ティロス展 —— 生を超える旅
Tylos - The Journey Beyond Life
Tylos - Le voyage au delà de la vie

古代文明の普遍を照らす光
「アラビア湾の真珠」と呼ばれた小国バーレーンは、古代から交通の要所として栄え、エジプトなどと匹敵する文明が栄えたとも言われている。その古代文明のひとつティロスに焦点を当てた企画展が、当地の国立博物館で開催され、フランスから展示デザインチームが招聘された。インターナショナルなチームによる準備は、複雑な面もあったが、その分完成時のチームの達成感と団結感には格別なものがあった。当国の文化大臣らからも、国際的標準の展示会になったと高く評価された。

Lighting up the eternity of an ancient civilisation
The small country Bahrain, called " the pearl of the Persian Gulf ", has been a strategic point on transportation routes since ancient days. It is also said that civilizations on par with Egypt flourished there. One of these ancient civilizations was Tylos, and a planning committee focusing on Tylos was held onsite at the National Museum of Bahrain. This resulted in an exhibition design team being called from France. The preparation by an international team was complicated. However when the team finished, the sense of achievement and solidarity was exceptional. Bahrain's Minister of Culture highly praised the exhibition as being one of an international standard.

Éclairer l'éternité d'une civilisation antique
Le royaume de Bahreïn, également appelé « Perle du golfe Persique », a connu une époque de grande prospérité dans l'Antiquité en tant que point de passage stratégique. Ainsi, malgré sa petite superficie, il peut rivaliser avec des pays tels que l'Égypte pour la grandeur de sa civilisation. Le Musée National de Bahreïn a donc lancé un projet d'exposition patrimoniale autour de l'une de ses civilisations : Tylos, en invitant une équipe française à concevoir les plans de l'exposition. La composition internationale de l'équipe a rendu le travail d'élaboration très complexe, mais au final, l'esprit de solidarité et le sentiment d'accomplissement se sont révélés d'une qualité exceptionnelle. Le ministre de la Culture a jugé cette exposition d'envergure

ガリバーになって見る光現象

シャンパン・ブランドのブーヴ・クリコが、創設者であるクリコ未亡人をイメージしたアート作品を日本の著名アーティストに制作を依頼、展示販売し、収益をWWF（世界自然保護基金）に寄付するというチャリティーイベントを開催した。仮設会場であってもブランドイメージを明確に打ち立てるため、ロゴや、テーマカラー、シャンパンの泡などを光で表現して展示を彩った。円型ホールの壁一面に泡が立ち上るような光が映されると、まるでシャンパングラスの中にいるような気分になった。

Lighting effect for feeling like Gulliver

Champagne brand Veuve Clicquot held a charity event. The company asked famous Japanese artists to create art works in the image of Madame Clicquot, the company's founder. The works would then be exhibited and sold with the proceeds donated to the WWF. The exhibition space was only temporary, but it still needed to clearly show the brand image. To do this, I lit up the exhibition using the logo projection, theme color and champagne bubbles, and so forth. By casting bubble-like light on the entire surface of a circular wall, it gave the feeling of being inside a champagne glass.

Comme si vous étiez Gulliver, grâce à la lumière

La fameuse maison de champagne Veuve Clicquot souhaitait organiser un événement caritatif dont les bénéfices seraient reversés au Fonds mondial pour la nature (WWF). Pour cela, elle a demandé à des artistes japonais célèbres de créer des œuvres inspirées de sa fondatrice Madame Clicquot. Afin de valoriser l'image de la marque même dans le cadre provisoire de la manifestation, j'ai choisi trois motifs pour cette mise en scène lumière : leur logo, leur couleur et leurs bulles. Quand la lumière évoquant la mousse du champagne était projetée sur le mur, cela donnait l'impression de se trouver à l'intérieur d'une coupe !

マダム・クリコのアート展
Art of Veuve Clicquot
L'Art de Veuve Clicquot

主催：ヴーヴ・クリコ・ジャパン
Organised by Veuve Cliquot Japan

主催：パリ・タブロー
展示デザイン：ディディエ・ブラン
Produced by Paris Tableau
Scenography by Didier Blin

パリ・タブロー
Paris Picture
Paris Tableau

風合いと気品を引き立てる光
パリで毎年開催されているクラシック絵画の展示会「パリ・タブロー」。その一角に美術館コーナーが設けられ、国立ゴブラン工房のタペストリーなどの収蔵品が特別出品された。コンパクトなスペースながらも他とは違う雰囲気を醸し出すため、本格的な美術館照明を導入し、気品あるえんじ色の展示デザインと織物の風合いを引き立てた。

Lighting to accentuate texture and elegance
Paris Tableau is a classic art trade show held in Paris each year. In one corner of the exhibition is dedicated to a museum-style presentation. It shows special exhibitions of precious works such as tapestries from the Mobilier National and Manufactures Nationales des Gobelins. In order to engender a different atmosphere from the rest of the show, even in such a compact space, I introduced authentic art-museum lighting method and focused on accentuating the exhibit design of elegant dark red and the texture of the tapestries.

La lumière révèle la texture et l'élégance
Paris Tableau est un salon de la peinture classique qui se tient à Paris chaque année. Une part de la manifestation est conçue comme un intérieur de musée, et des objets provenant de fonds de conservation, dont une tapisserie du Mobilier National, sont prêtés exceptionnellement pour l'occasion. J'ai essayé de différencier l'atmosphère de ce petit espace, par rapport à celui de l'espace de vente, en utilisant une technique de mise en lumière typiquement muséographique qui accentua la décoration d'un élégant rouge profond ainsi que la texture des textiles.

舞台照明
Stage Lighting
Eclairage Scénique

オペラ『ワルキューレ』
Opera "Die Walkure"
Opéra "Die Walkure"

興行主：東京二期会
演出：ジョエル・ローウェルス
写真：2008 年 2 月東京二期会オペラ公演
Produced by Tokyo Nikikai
Direction by Joel Lauwers
Pictures from the production of Tokyo Nikikai in Febrary 2008
Scenography by Didier Blin

137

漆黒の神々の世界と差し色の美
初めてメインデザイナーとしてオペラの仕事を依頼されたのが、2008年2月に公演のワーグナーの有名な作品『ワルキューレ』だった。舞台装置が全編を通じて固定された演出のため、4時間半もの大作を照明のバリエーションで、見せなければならない。大役を課せられた思いだった。演出家の細かい指示や、複雑な音楽、さらにダブルキャストという条件の中、照明調整は初日の開幕直前まで続いたが、前衛的な漆黒の装置と、効果的な光の色使いなどが相乗効果を発揮して、印象的なタブローをつくることができた。心理描写を光で表現する楽しさと難しさを痛感した。

Pitch black world of the gods and the beauty of color lights

My first ever opera lighting project as main designer was the famous opera "Die Walkure," performed in February 2008. As it was a production where the stage decor remains fixed in one position for the entire show, this epic work had to be given charm throughout its 4.5-hour duration through the use of lighting variation. I thought I had been given an immense task. Having to deal with the detailed instructions of the directors, the complicated music, and the further condition of double casting, I continued to adjust lighting right up until directly before the start of performance on the opening day. However by successfully obtaining synergistic effects from the avant-garde black set and the effective usage of colored lights, it was possible to create impressive tableaux. I fully realized how enjoyable but difficult it can be to express psychological states by using light.

L'obscur monde des dieux face à la beauté des couleurs de lumière

C'est en février 2008 qu'on m'a demandé pour la première fois d'être la conceptrice lumière principale pour un opéra. L'œuvre n'était pas des moindres, puisqu'il s'agissait de La Walkyrie de Wagner. Comme le décor était fixe du début à la fin, il impliquait des variations de lumière correspondant à la tension et à l'envoûtement créés tout le long des quatre heures et demi de spectacle… Ma responsabilité était donc énorme ! Ayant à m'adapter aux directives très précises du metteur en scène, à la complexité de la musique et à la double distribution, nous avons dû continuer les réglages presque jusqu'à l'ouverture du rideau, mais nous sommes finalement parvenus à créer des tableaux impressionnants, par l'effet conjugué du contraste entre le décor noir d'avant-garde et des couleurs de lumières efficaces. J'ai éprouvé autant de difficultés que de plaisir à exprimer ce cheminement psychologique au moyen de la lumière.

Drawings by light on canvas

A project to perform all of Yukio Mishima's plays was established on the 35th year after his death. As lighting assistant for the first production, I attended every day for rehearsal. It was exciting to see the play progress toward completion. Besides, it was difficult to create lighting while having to imagine what the final atmosphere would be when decor and costumes were added. After the stage rehearsals had begun, we were inspired by the charcoal drawn interior decoration on the canvas that had been reproduced from the set of the original performance, and we decided the use of color and shadow direction to express the internal side of the characters. Their states of minds were expressed as images of light and shadow projected on white cloth.

Tableau de lumière dessiné sur une toile

À l'occasion des trente-cinq ans de la disparition de l'écrivain Yukio Mishima, une représentation de l'ensemble de ses œuvres théâtrales a été programmée. J'ai été choisie comme assistante lumière de la première pièce. Me rendant chaque jour aux répétitions, j'ai vu la scénographie prendre forme et cela m'a beaucoup inspiré. Mais, j'ai aussi réalisé la difficulté de créer une mise en lumière uniquement en imaginant le rendu du décor et des costumes définitifs. C'est au moment des préparatifs de la scène finale que s'est imposé à moi le choix des couleurs de lumière correspondant à la psychologie des personnages, ainsi que l'orientation des ombres, dictée par le décor au fusain sur le canevas ; comme une fidèle reproduction de la première représentation de cette pièce. J'ai eu le sentiment de dessiner sur la toile blanche avec des pinceaux d'ombre et de lumière.

キャンバスに描く光のタブロー

三島由紀夫没後 35 年を機に、全戯曲を上演するプロジェクトが発足。第 1 回公演の照明アシスタントを仰せつかった。稽古に毎日通い、芝居が完成していくのを見るのはエキサイティングだが、装置や衣裳を着けたときの雰囲気を想像しながら明かりづくりをするのは難しい。劇場で仕込みが始まってから、初演時のセットを再現したというキャンバスに木炭描きの室内装飾に触発され、登場人物の内面を表象する色使いや影の方向性などを決めていった。白い布に光と影で絵を描く心境だった。

演劇『サド侯爵夫人』
Play "Madame de Sade"
Pièce "Madame de Sade"

主催：日本テレビ
企画・制作：三島由紀夫全戯曲上演プロジェクト事務局
演出：岸田良二
照明：石井幹子

Organized by Nippon Television Network Corporation
Produced by Yukio Mishima's All Play Production Project Office
Direction by Ryoji Kishida
Lighting Design by Motoko Ishii
Scenography by Didier Blin

ホールオペラ『トゥーランドット』
Opera "Turandot"
Opéra "Turandot"

総合芸術に溶け込む光
東京・サントリーホールでは、舞台上にオーケストラとオペラの舞台を併置するユニークな形式の「ホールオペラ」を展開している。国際的に著名な演出家や出演者等を招いての2006年の公演で、照明アシスタントを務めた。演劇稽古に通い、演出意図や装置のシンボリズムなど多くのことを吸収した。舞台転換がなく、オーケストラへの配慮が必要な難しい条件の中、演劇表現の一要素として、芝居や装置や音楽とともに総合芸術の中に組み込まれた光の在り方を学んだ。

Light melding into the integrated performing arts
Performed at the Suntory Hall, Tokyo, this "hall opera" was developed in the unique format of placing the orchestra with the opera on the stage. I worked as lighting assistant for the 2006 performance for which internationally famous directors and performers were invited. Through the play's rehearsal, I was able to absorb a multiplicity of factors such as the intentions of the drama and the symbolism of props. With no decor changes, and amid the difficult but necessary conditions of considering the orchestra, I learned about light's place in the integrated theatrical production alongside the performance, props, and music as one element of dramaturgy expression.

Lumière intégrée dans l'œuvre d'art théâtrale
Une forme unique d'opéra, appelée « Hall Opera », a été jouée au Suntory Hall de Tokyo. Elle rassemblait sur une même scène les chanteurs d'opéra mais aussi l'orchestre. J'ai travaillé en tant qu'assistante lumière sur la production de 2006, composée de musiciens, metteurs en scène et chanteurs de renommée internationale. Je suis allée aux répétitions pour m'imprégner de l'intention, de la scénographie et du décor. Dans les conditions difficiles qu'imposait une scène statique et un orchestre, j'ai appris ce que doit être la lumière quand elle est un élément associé à une scénographie intégrale incorporant jeu théâtral, musique et décor.

興行主：サントリーホール
演出：ドニ・クリエフ
照明：石井幹子

Produced by Suntory Hall
Direction by Denis Krief
Lighting Design by Motoko Ishii

オペラ『Jr. バタフライ』
Opera "Jr. Butterfly"
Opéra "Jr. Butterfly"

興行主：プッチーニ・フェスティバル
作曲：三枝成彰
作・演出：島田雅彦
照明：石井幹子
Produced by Pucchini Festival
Composed by Shigeaki Saegusa
Direction by Masahiko Shimada
Lighting Design by Motoko Ishii

愛と原爆を描く歌曲の光と影
イタリア・トスカーナ地方にあるプッチーニ終焉の地、トーレ・デル・ラーゴで毎夏開催されているプッチーニ・フェスティバルに、『蝶々夫人』の息子を主人公にした新作オペラが上演されることになった。照明アシスタントに起用された私は、これを機会に一念発起してイタリアに短期留学し、語学を習得。屋外劇場のため、日没22時から日の出4時までしか照明合わせができないという厳しい条件だったが、日本の制作チームと現地スタッフとの協力により、幻想的な明かりをつくることができた。

Light and shadow of areas depicting love and A-bombs
A new opera, whose main character is the son of "Madame Butterfly," has been introduced to the Puccini Festival, held each summer at Torre del Lago, the place of Puccini's final resting spot in Tuscany, Italy. Working as the lighting assistant, I decided to take this opportunity to study language for a short time in Italy. As it was an outdoor theatre, there was the restrictive condition that lighting adjustment could only be performed from 10 pm until 4 am. Nevertheless, thanks to the great collaboration between Japanese production staff and the local technical team, it was possible to produce lighting with magical effects.

Mélodies de l'amour et bombe atomique, entre lumière et ombre
Puccini a passé les derniers moments de sa vie dans la ville toscane de Torre del Lago. C'est là que se déroule chaque été le festival Puccini. Cette année-là y était présenté l'opéra nouvellement créé autour du personnage du fils de Madame Butterfly. Embauchée en qualité d'assistante lumière, j'ai aussi profité de ce séjour pour apprendre la langue italienne… Les conditions de travail étaient exigeantes car le théâtre étant en plein air, les réglages n'étaient possibles qu'entre 22 heures et 4 heures du matin ! Mais, grâce à une excellente collaboration avec les techniciens locaux, nous avons pu créer une mise en lumière féerique.

光のプロダクト
Lighting Products
Création de Produits

146

メゾン・エ・オブジェ2013「ライト・エッセンシャルズ」
Maison & Object 2013 "Light Essentials"
Maison & Objet 2013 "Light Essentials"

共同プロデュース：石井幹子＆石井リーサ明理
コラボレーション：石井幹子デザイン事務所
パートナー：スタンレー電気、ローム、オカムラ製作所、
ソーラーフロンティア、三菱ケミカルホールディングズ、パナソニック
協力：キヤノン、菊川工業、テイジン、住友化学、資生堂、サントリー、虎屋、
エトロ・ジャパン、住友3M、ライトクリエイション

Produced by Motoko Ishii & Akari-Lisa Ishii
Designed by Motoko Ishii & Motoko Ishi Lighting Design and Akari-Lisa Ishii & I.C.O.N.
Organized by Executive Commitee for Light Up Japan Creations
Sponsors: Stanley Electic, Rohm, Okamura, Solar Frontier, Mitsubishi Chemical Holdings, Panasonic
Cooperation: Canon, Kikukawa, Teijin, Sumitomo Chemical, Shiseido, Suntory, Toraya, Etro, Sumitomo 3M, Light Creation

光の本質を探る五感の旅

インテリアのパリコレとも呼ばれる「メゾン・エ・オブジェ」はパリで年2回開催される世界屈指のインテリアとライフスタイルの見本市で、現在は世界3カ所に展開し高い注目を集めている。主催者に紹介される機会があり、光の専門家としての意見を聞かれたので「この展示会に来る人にとって、光はシェードランプの色と形でしかない。本当の光は、もっと感情にも訴え、雰囲気づくりを左右する根源的なものなはずなのに」と臆さず答えたところ、「それを表現するテーマ展示を」と招待デザイナーに指名された。世界に知られていない日本の最新光テクノロジーを、デザインというエディションを通して、7つのテーマに分けて展示。省エネ照明オブジェ、光を組み込んだファニチャー、カラーシャドー・インスタレーション、世界初のインタラクティブ・シャンデリア、次世代光源有機ELなどを駆使して、「光を体験する旅」を実現した。また香りや味など異業種とのコラボレーションも積極的に取り入れ、五感を刺激することもテーマに加えた。来場者の注目を集め、フランスの全国ニュースをはじめ、世界各国のメディアから反響を呼んだ。

Journey of five senses searching essence of light

'Maison & Objet," also recognized as the Paris Collection of Interior design is a trade fair for world-leading interior and lifestyle held twice a year in Paris. It has expanded now to three locations worldwide, and it attracts a high level of attention. When we had the opportunity to get introduced to the event organizers, I was asked of my opinion as a lighting designer. I answered without hesitation: "For people attending this exhibition, light is merely the color and shape of a lamp shade. However, in reality light appeals much more to the emotions and is an essential element in the creation of atmosphere." We were then invited as designers to present a themed exhibit that expresses this message. We exhibited frontline technologies of Japan that are still unknown in the global interior industries under seven themes. By utilizing energy-saving lighting objects, light-integrated furniture, color shadow installations, the world's first interactive chandelier, and next-generation-light-source OLED, we expressed a "Journey of Experiencing Lights." We also became proactively involved in collaborations with different fields such as the smell and taste related industries for the complementary theme of stimulating the five senses. We drew the attention of visitors, and in addition to being interviewed on a nationwide news network in France, we also aroused interest in media of various countries.

Voyage des cinq sens à la recherche de l'essence de la lumière

Maison& Objet, le salon international de la décoration et de l'art de vivre a lieu deux fois par an à Paris. Fort de son succès, il se décline maintenant dans trois pays. À l'occasion d'une rencontre avec son organisateur, on m'a demandé mon avis en tant que conceptrice lumière. Très franche, j'ai répondu sans hésiter : "il semble que vos visiteurs ne s'intéressent qu'à la forme et à la couleur de l'abat-jour quand on parle de lumière…" Alors que la vraie mise en lumière doit faire appel à l'émotion et être à l'origine de l'ambiance. Du coup, on nous a proposé de l'exprimer sur un espace thématique en tant que conceptrices invitées. Nous avons alors fait appel à des technologies japonaises innovantes, encore ignorées du monde de la décoration internationale. Nous avons articulé l'exposition autour de sept thèmes. C'était un voyage pour expérimenter la lumière : découvrir des objets lumineux à économie d'énergie, du mobilier et des installations à ombres colorées, le premier lustre interactif au monde, ou encore OLED, la source de lumière nouvelle génération. Nous avons aussi collaboré avec d'autres univers : parfums, saveurs… pour introduire le thème de la stimulation des cinq sens. Nous avons suscité un vif intérêt auprès des visiteurs, des articles ont été publiées dans les médias du monde entier, notamment une interview sur TF1.

BLANC FAIT DES COULEURS

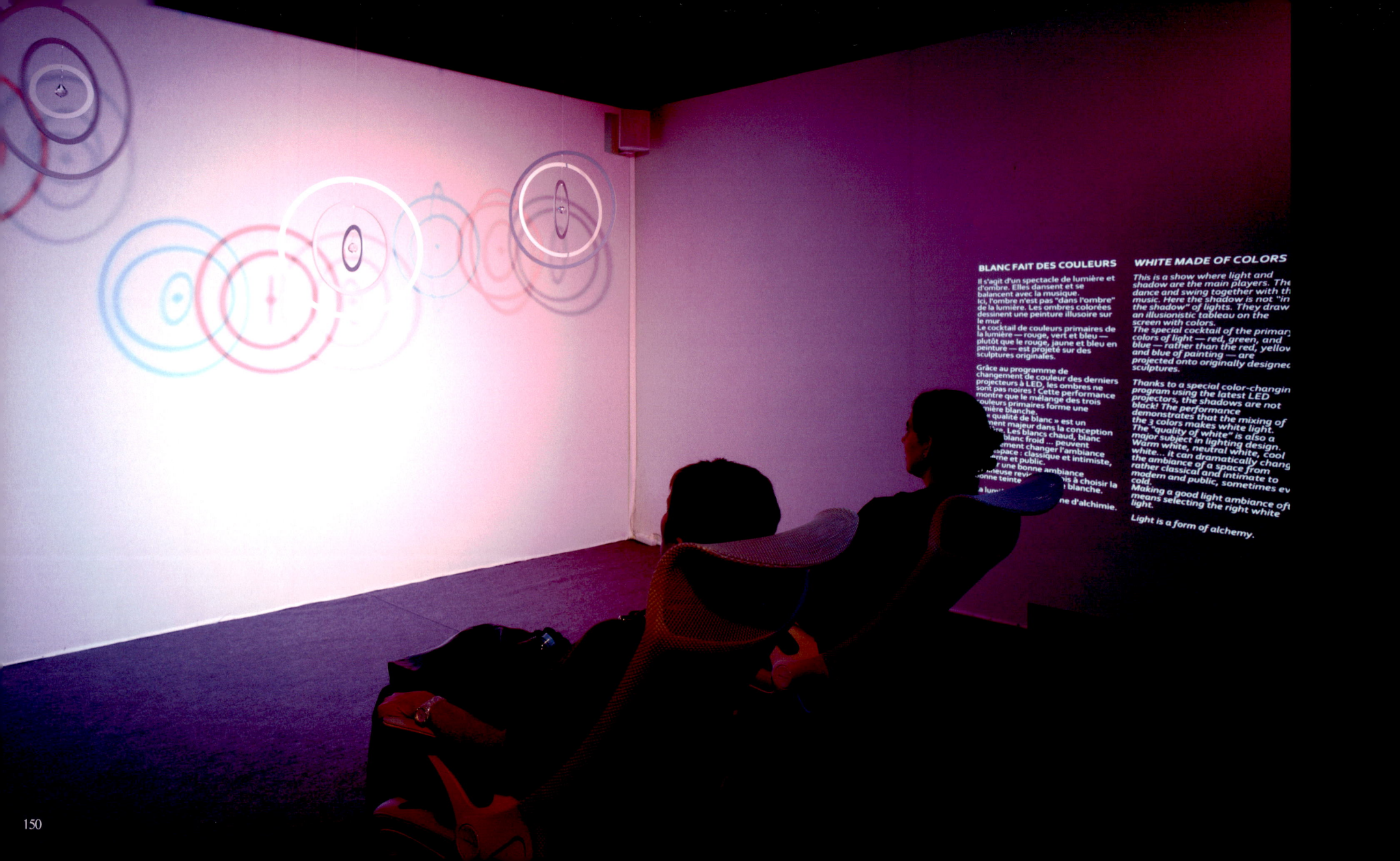

Il s'agit d'un spectacle de lumière et d'ombre. Elles dansent et se balancent avec la musique. Ici, l'ombre n'est pas "dans l'ombre" de la lumière. Les ombres colorées dessinent une peinture illusoire sur le mur.
Le cocktail de couleurs primaires de la lumière — rouge, vert et bleu — plutôt que le rouge, jaune et bleu en peinture — est projeté sur des sculptures originales.

Grâce au programme de changement de couleur des derniers projecteurs à LED, les ombres ne sont pas noires ! Cette performance montre que le mélange des trois couleurs primaires forme une lumière blanche.
La « qualité de blanc » est un [élé]ment majeur dans la conception [lumière]. Les blancs chaud, blanc [...] blanc froid ... peuvent [radicale]ment changer l'ambiance [d'un] espace : classique et intimite, [mode]rne et public, [...] d'une bonne ambiance [lumi]neuse revi[ent...] à choisir la bonne teinte [de lumière] blanche.

La lumi[ère ...] [...] une forme d'alchimie.

WHITE MADE OF COLORS

This is a show where light and shadow are the main players. The[y] dance and swing together with th[e] music. Here the shadow is not "in the shadow" of lights. They draw an illusionistic tableau on the screen with colors.
The special cocktail of the primar[y] colors of light — red, green, and blue — rather than the red, yello[w] and blue of painting — are projected onto originally designed sculptures.

Thanks to a special color-changin[g] program using the latest LED projectors, the shadows are not black! The performance demonstrates that the mixing of the 3 colors makes white light.
The "quality of white" is also a major subject in lighting design. Warm white, neutral white, cool white... it can dramatically chang[e] the ambiance of a space from rather classical and intimate to modern and public, sometimes ev[en] cold.
Making a good light ambiance oft[en] means selecting the right white light.

Light is a form of alchemy.

Maison & Object 2014 "Light Trend"
Maison & Objet 2014 "Light Trend"

インテリア業界に光を
2013年の成功を受けて、私達の光の展示は、メゾン・エ・オブジェ展示会主催のレギュラー・テーマ展示となった。2014年には、ネーミングも「ライト・トレンド」と改め、その年の照明デザイン界最先端の流行や、その次の傾向を世界中から集結させる方針とした。8つの部屋を回遊して、インタラクティブや制御技術、最新光源、光学レンズ、コントロールテクニック、建築との調和など様々な側面から光について学びながら、光の美しさや意外性などが体験できる展示とした。来場者からは、驚きの声や、ためになったという反応が相次ぎ、インテリアデザインの中での照明のポテンシャルに確かな手応えを覚えた。

Light on the interior industry
Due to the success of the previous year, our exhibition of light became a regular themed exhibition. In 2014, we changed the name to "Light Trend," and formed a policy of bringing together, from around the world, the most cutting-edge trends in international lighting design for that year and the future direction to follow after that. The exhibit is set up to allow visitors to experience the beauty and the unexpectedness of light as they wander through eight areas showing various aspects of light including interactive and control technology, the latest light sources, optical lenses, adjustment techniques, harmony with architecture, and so forth. Visitors were often surprised and found the exhibit beneficial. Clearly, their response was a confirmation to the potential that lighting has in interior design.

Lumière sur le monde de la décoration
Forte de son succès en 2013, notre exposition thématique est devenue récurrente au sein du salon. En 2014, nous l'avons intitulée Light Trend car elle présentait les conceptions mondiales les plus avant-gardistes ainsi que les tendances actuelles et à venir dans le domaine de la conception lumière. En traversant huit salles différentes, qui présentaient notamment l'éclairage interactif, le système de gestion des sources de lumière le plus récent, les lentilles optiques, les techniques de réglages et l'harmonisation avec l'architecture, on apprenait ce qu'est la lumière, par l'expérience de ces différents aspects, pour saisir la beauté mais aussi l'inattendu qu'elle recèle. De nombreux visiteurs nous ont dit leur surprise, et combien cette présentation avait été enrichissante. À cette occasion, les réactions des visiteurs nous ont permis de vérifier que nous avions contribué à la découverte du rôle de la lumière dans le domaine de décoration intérieure.

152

共同プロデュース：石井リーサ明理＆石井幹子
コラボレーション：石井幹子デザイン事務所
パートナー：スタンレー電気、住友化学、KKDC、アルテクニック、アルテミデ、イグッジーニ、資生堂、タル、テクニリュム
Produced by Akari-Lisa Ishii & Motoko Ishii
Designed by Motoko Ishii & Motoko Ishii Lighting Design and Akari-Lisa Ishii & I.C.O.N.
Partners: Stanley Electic, Sumitomo Chemical, KKDC, Artechnic, Artemide, I Guzzini, Shiseido, TAL, Technilum

MIXALI

共同デザイン：石井幹子＆石井リーサ明理
コラボレーション：石井幹子デザイン事務所
開発協力：三菱化学
Designed by Motoko Ishii & Akari-Lisa Ishii
Collaboration with Motoko Ishii Lighting Design
Cooporation with Mitsubishi Chemical

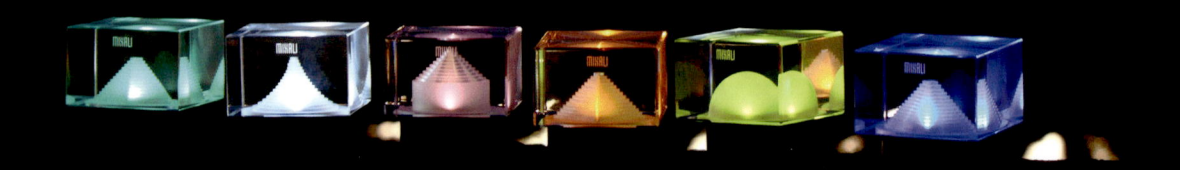

特殊カラーLEDによる癒しの光オブジェ
三菱化学の独自開発による、紫色LEDとRGB蛍光体を使用したVxRGB-LEDの2色入りチップの特徴を生かして、ゆったりとしたリズムで美しい色変化が楽しめる癒やしオブジェ「ミザリ」シリーズをデザインした。優しい風合いのセラミック、フロストと透明の対比がおもしろいクリアアクリルなどの素材と組み合わせた、小さな光るオブジェ作品である。USB充電ができ、オフィスや寝室の枕元、ホテルのデコレーションなどに活用できるようにした。曙をイメージして夜空のブルーと朝焼けのピンクを組み合わせたタイプにはフランス語で夜明けを意味する「オーブ」、半球型にくり抜いたアクリルキューブを使ったタイプには「ドーム」など、オブジェは各々、形状や色に合わせたネーミングで、ユーザーのイメージを喚起している。

Soothing color objet by special color LED
The design of the "MIXALI" series of soothing light objects, which allow the enjoyment of beautiful color transformations at an easy-going rhythm, was made possible through the utilization of the characteristics of the two-color chip VxRGB-LED, originally developed by Mitsubishi Chemical, that uses violet chip LED and RGB phosphors. These are small illuminating objet works that are made from a combination of materials such as a clear acrylic that has an interesting contrast between frost and transparency, and a gently textured ceramic etc. It can be charged by USB and applied as a decoration in an office, bedside table or hotel room. The products arouse users' images through naming inspired by various shapes and colors such as the type called "aube," which means dawn in French and is based on an image of sunrise comprising a combination of night-sky blue and daybreak pink, and the type called "dome," which uses an acrylic cube hollowed out in a hemispherical shape.

La lumière apaisante des LED multicolores
Mitsubishi Chemical Corporation a dévelopé la série d'objets lumineux Mixali utilisant une LED V x RGB. Celle-ci contient une puce spéciale à deux couleurs, mélange d'une LED violette et d'un corps fluorescent RGB. C'est une ligne conçue dans un esprit zen grâce à une lente alternance de couleurs. Cette production associe la céramique d'aspect très doux à l'acrylique clair et dépoli, offrant un contraste intéressant entre l'opacité et la transparence. Chaque objet est doté d'un port de recharge USB, permettant une utilisation flexible aussi bien au bureau que dans une chambre à coucher, ou encore dans un hôtel comme objet de décor. Le nom français « Aube » a été donné aux modèles dont la palette varie du bleu nocturne au rose du petit matin, et celui de « Dôme » a été attribué aux modèles en demi-sphère, creusé dans un cube en acrylique. Chaque objet possède ainsi une désignation correspondant à sa forme et à sa couleur, qui vient solliciter les sens de son utilisateur.

LICONIA

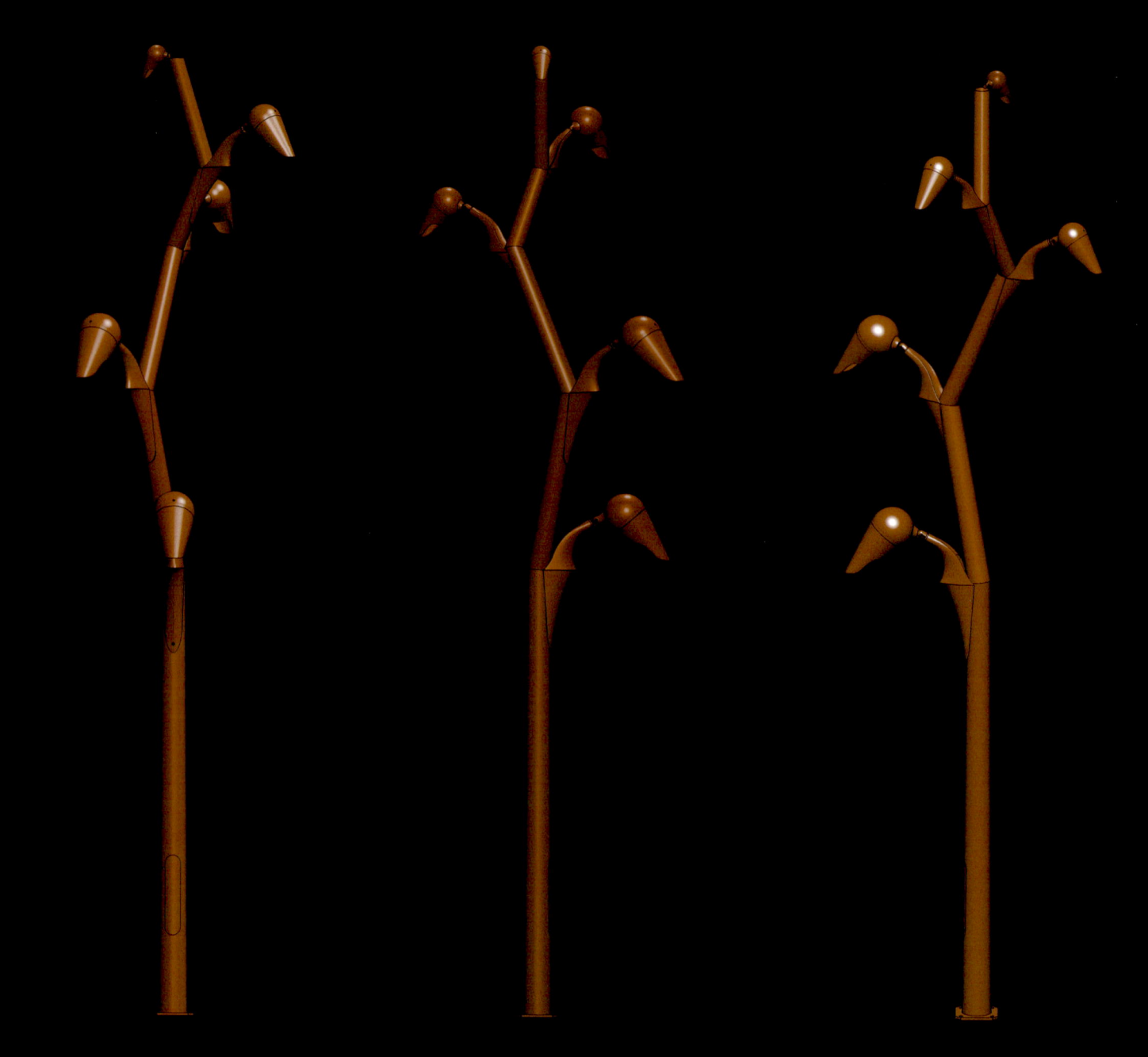

製造・販売：セリュックス
開発協力：コニマスト
Production by Selux
Developmenet Cooperation with Conimast

自然界と工業界をつなぐコンセプト

「どんな色にしても、どんな形にしても、自然の中に規則的な間隔でポール灯を配列すると、必ず人為的なわざとらしさが目立ってしまう。もっと有機的な街灯はないのだろうか──。ただし、あくまでも工業製品として成立する形で……」。パリ郊外の公園をライトアップする機会に、以前から私の中でモヤモヤしていたこうした疑問に対する答えが、急に形になった。自然界の木の枝のように斜めに延びるアームを螺旋状に 4 連結したポールを、回転させながら配置すれば、画一的な見え方を回避することができるはずだ。こうしてデザイン開発されたのが「リコニア」。エキゾチックな植物からヒントを得た名前だ。これなら、遊歩道の照明、樹木のアップライト、ベンチの足下の明るさ確保などを 1 本のポールにより網羅でき、本数を減らすこともできる。

Concept linking the natural with the industrial

"Whatever color, whatever shape, if you make an array of regularly spaced pole lamps inside nature, they are going to stand out as something artificial that has been placed there for a purpose. Is there a more organic kind of street lighting? However, ultimately, it must have a form that can be appropriately manufactured as an industrial product." At an occasion of lighting up a park in the suburbs of France, I suddenly came across a shape that was an answer to these nagging doubts that I have long held. It is possible to avoid the uniform appearance by using a pole that has four arms connected one after another in a spiral formation that stretch out in angles like natural branches and by rotating each one in different ways at installation position. The "LICONIA" was developed from this idea. It gets its name from an exotic plant. By using such a design, the lighting of pathways, the up-lighting of trees and the provision of brightness around benches can be covered by one pole, which would enable a reduction in the number of poles used.

Concept reliant le monde naturel et le monde industriel

Quelles que soient leur couleur et leur forme, quand on dispose des mâts d'éclairage à interdistance régulière dans un espace naturel, il en ressort une impression artificielle. Comment parvenir à créer des lampadaires urbains qui se fondent dans le paysage, tout en restant dans la limite inévitable de la production industrielle en série ? À l'occasion de la mise en valeur d'un parc en banlieue parisienne, j'ai réussi à trouver une réponse concrète à cette question qui me taraudait depuis longtemps. Des mâts constitués de quatre branches peuvent permettre d'éviter une uniformité ennuyeuse, si on les dispose en les tournant légèrement au fur et à mesure. Ainsi est né le design du mât Liconia, inspiré par le nom de la plante exotique qui m'en a révélé l'idée. Grâce à ce système, il est possible d'utiliser la totalité des mâts ou de réduire leur nombre en fonction du lieu ciblé, tout en regroupant plusieurs lanternes pour l'éclairage

幻のプロジェクト
Competition Proposals
Projets-Concours

Lighting tackling social issues
Around the outer rim of Paris, there are many districts that face various social problems. In contrast to the central area that has been developed as one of the world's most famous tourist destinations, the identity in these districts is weak and lacks cohesion. As a first step toward improving this current situation, a competition for creating a lighting master plan was conducted. Although I had recently become independent, my team somehow was selected as one of the finalists. The other three teams were France's most prominent lighting designers who were internationally recognized. In the end, we came second. Later I heard that we could not be selected because of lack of realized-project references. It was a competition in which I felt I had really done all that I could have.

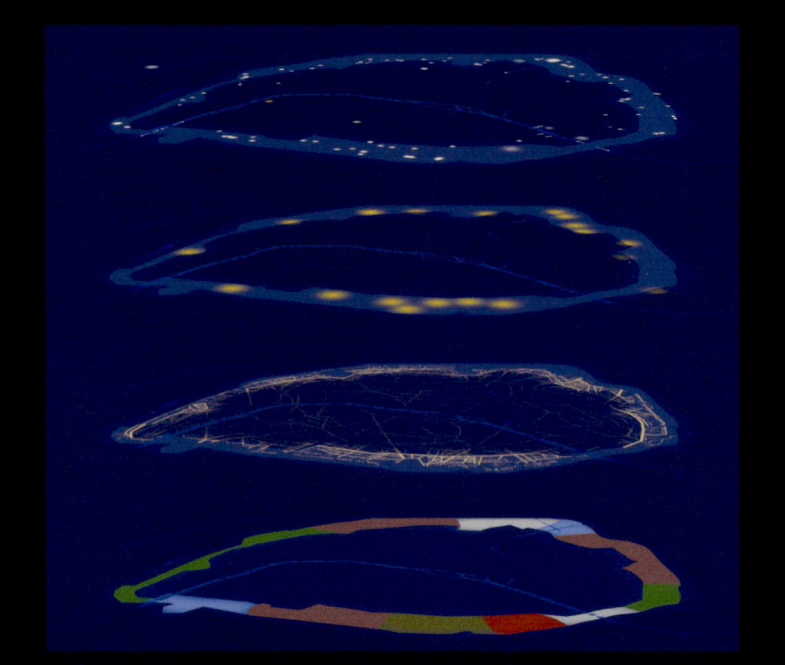

La lumière s'attaque aux problèmes sociaux
De nombreuses zones dans la banlieue parisienne connaissent de graves tensions sociales. Contrairement au centre de la capitale très bien entretenu (notamment afin d'accueillir les touristes du monde entier), les quartiers de la périphérie de Paris souffrent d'un manque d'identité et de cohésion. Un concours de réaménagement lumière a donc été organisé pour tenter de commencer à améliorer cette situation. Malgré la jeunesse de mon agence qui venait juste d'ouvrir, nos idées ont plu puisque nous avons fini en deuxième position face à trois concepteurs lumière français mondialement connus ! La raison principale de notre élimination semble d'ailleurs avoir été notre carrière encore insuffisante pour un projet de cette ampleur. Mais je reste fière de m'être engagée sur ce projet.

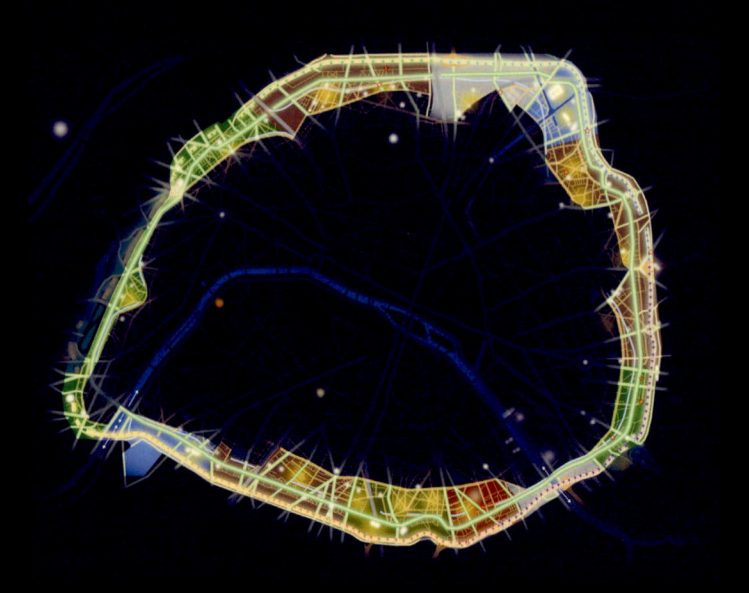

社会問題に取り組む光
パリ市の外周部は社会的にも様々な課題を抱えている地区が多く、世界有数の観光地として整備されている中心部とは違い、地区のアイデンティティーが希薄で、統一感にも欠ける。そうした現状を改善するための第一歩として、照明マスタープランづくりのコンペが行われた。独立したての私のチームがなぜか最終選考に残った。対する3チームは、国際的にも知られたフランスを代表するデザイナー達。結果は2位。実作不足などが要因で優勝できなかったと聞く。やるだけやった、と胸を張れるコンペだった。

パリ環状地区照明マスタープラン
Paris Crown Area Lighting Master Plan
Plan d'aménagement lumière des quartiers de la Couronne de Paris

主催：パリ市
コラボレーション：キャロル・フェレリ＆カトリーヌ・オジェ
Competition organized by the City of Paris
Collaboration with Carole Ferreri & Catherine Oger

町おこしとライトアップ

フランス・ノルマンディー地方の主要都市のひとつであるエヴルーの、主な建造物などをライトアップする総合計画のコンペがあり、施工を担当することとなる大手電気工事会社と組んで、デザイン・デベロップメントを行った。短期間に魅力的な案をいくつも練り、パースと技術的な資料、説得力ある文章等をプレゼンした。審査委員の最終回答はノーだったが、私のクリエーションは多くの収穫と蓄積を得た。このときの発案はその後のプロジェクトの糧となっている。

Town revitalization and light-up

Evreux is one of the most important cities in Normandy, France. It held a lighting master plan competition for lighting up outstanding buildings etc. I worked together with a major electrical construction firm in charge of installation and carried out design development. Within a short time, we put together several charming proposals and presented them with simulation images, technical documentsmaterials and a convincing written argument. Although the Judging panel's final response was "No," my creation had harvested and accumulated a large amount of material, and I believe the proposal we submitted at that time will definitely prove useful in the future projects.

Mise en valeur de la ville et revalorisation par l'éclairage

Cette ville importante de la région de Haute-Normandie a organisé un concours pour la mise en lumière de ses monuments principaux. Je l'ai élaboré en collaboration avec la grande entreprise d'électricité chargée des travaux. Dans des délais limités, il nous a fallu produire de nombreux projets d'illumination, annexés d'images de simulation, de documentation technique et de descriptifs étayés du concept. Le jury ne nous a pas sélectionnées, mais ces créations ont été pour moi très bénéfiques dans tous les acquis qu'elles représentent, et je suis persuadée qu'elles me serviront dans le futur.

主催：エヴルー市
電気工事：ETDE
Competition organized by the City of Evreux
Collaboration with ETDE

エヴルー照明マスタープラン
Evreux
Evreux

163

モン・ド・マルサン
中心地区再開発計画
Mont de Marsan
Mont de Marsan

水と光の好相性
フランス南西部にあるこの町は3本の河川に恵まれ、中世から発展してきた。2010年、川沿いの親水性を高める都市再開発コンペが開催された。水車や洗濯場など昔からの川との触れ合いを大切にしつつ、川沿い遊歩道と広場のつながりを強め、楽しいながらも落ち着いた雰囲気をつくるための案を出した。優勝には至らなかったが、このときの縁で、都市設計家とは、現在に至るまでいくつものプロジェクトでコラボレーションすることとなる。

主催：モン・ド・マルサン市
都市計画：オブラス, M. ハッサンファー & J. ヴェロン
Competition organized by the City of Mont de Marsan
Urban Planning by Obras, M.Hassamfer & J. Verons

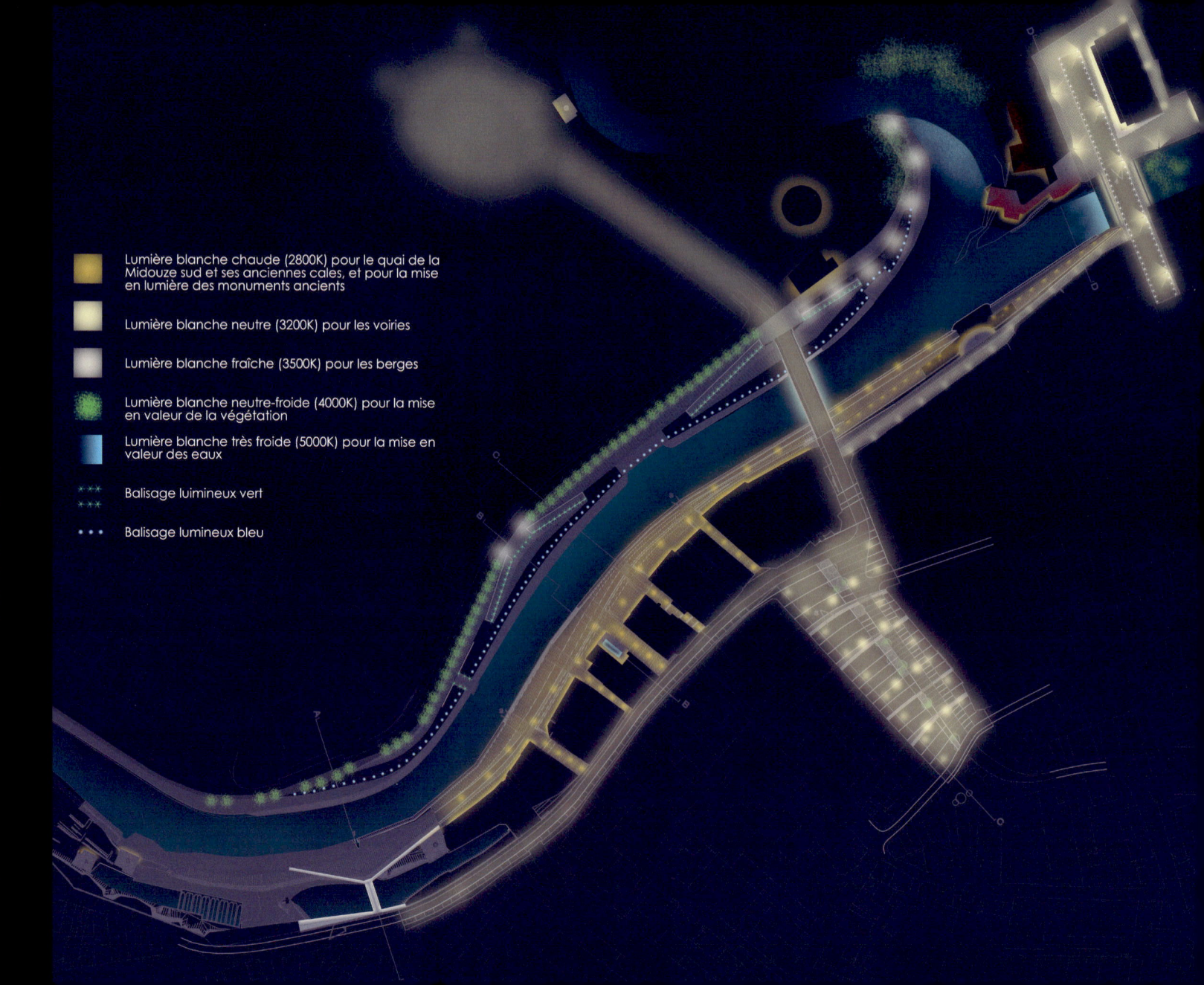

- Lumière blanche chaude (2800K) pour le quai de la Midouze sud et ses anciennes cales, et pour la mise en lumière des monuments anciens
- Lumière blanche neutre (3200K) pour les voiries
- Lumière blanche fraîche (3500K) pour les berges
- Lumière blanche neutre-froide (4000K) pour la mise en valeur de la végétation
- Lumière blanche très froide (5000K) pour la mise en valeur des eaux
- Balisage luimineux vert
- Balisage lumineux bleu

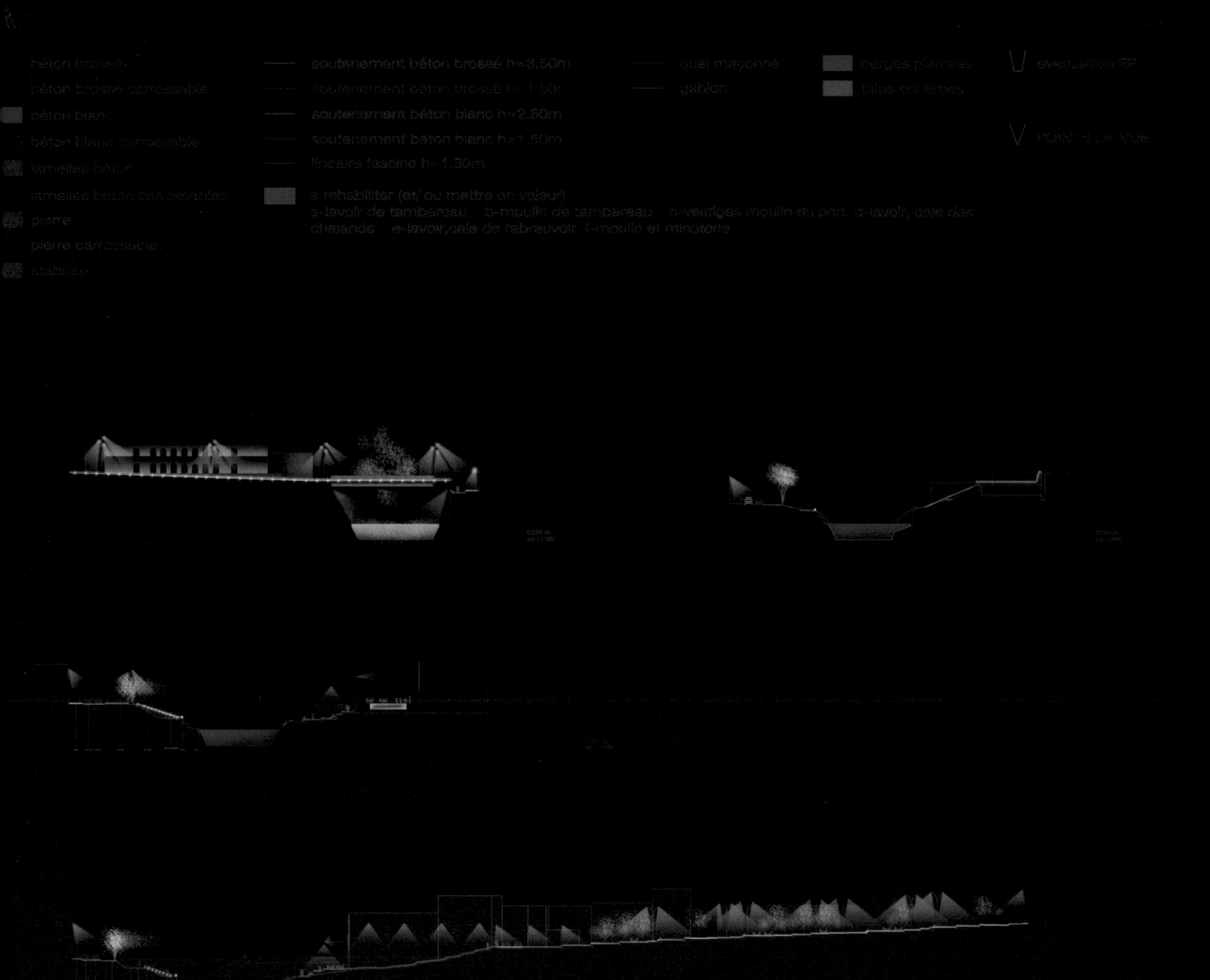

Affinity of light and water

Mont-de-Marsan is located in south-west France and blessed with three rivers. The town began developing from the middle ages. In 2010, a competition to redevelop the city center was held to enhance its affinity to water along the river banks. We submitted a proposal that, while giving importance on the encounters with rivers from long ago such as the water wheel and washing houses, created an enjoyable and relaxing environment by boosting the intimacy between walking paths along the river and open spaces inside the town. The proposal did not win, but I have collaborated in several projects up until now with the urban designer whom I met at that occasion.

Liens entre eau et lumière

Dans cette ville où coulent trois rivières, dans le sud-ouest de la France, et dont l'essor remonte au Moyen-Âge, une compétition a été organisée en 2010 pour réaménager le centre de la ville en améliorant notamment la relation à l'eau. Il s'agissait de renforcer le lien entre la promenade et le cœur de la ville par la valorisation des sites anciens le long des berges, tels que le moulin à eau et le lavoir, en y créant une ambiance agréable et apaisante. Notre projet n'a pas été choisi, mais les liens tissés à cette occasion ont permis des collaborations ultérieures intéressantes avec les architectes.

サン-ドニ エストレル・ホテル
Hostel Estrel, Saint-Denis
Hôtel Estrel, Saint-Denis

主催：サン-ドニ市
コラボレーション：マチェック・フィッシャー
Competition organized by the City of Saint Denis
Collaboration with Maciej Fiszer

光のエール、夜空にエコー
パリ北部、1998年サッカーのW杯のメイン会場となったスタッド・ド・フランスに隣接する場所に、超高層ホテルが計画された。都市景観上非常に重要なアイキャッチとなることから、地元自治体が外観の照明プランのコンペを主催し、4組が指名された。競技場からのエールが波のように夜空に浸透していく様子を、3本のタワーのファサードに光で描き出し、時間帯に応じてブルーのバリエーションでメリハリを付けることを考案。自分では気に入ったパースが描けたと勇んで提出したが、ホテル建設が挫折してしまった。

Cheers of light echoing in the night sky
In the north of Paris, there was a plan for a high-rise hotel to be built next to the Stade de France, the main stadium for the World Cup. As it would become an important eye-catching feature on the urban skyline, the local government held a competition for the exterior lighting scheme, and four teams were designated. Our proposal was for the cheers from the stadium, permeating the night sky like waves, to be drawn with light on the facades of three towers, and for modulation to be applied by variations of blues depending on the time. We boldly submitted the simulation images that I personally most liked, but the hotel's construction was canceled.

Clameurs de lumière, un écho dans le ciel nocturne
La construction d'un hôtel de grande envergure a été planifiée dans la ville de Saint-Denis, au nord de Paris, contiguë au Stade de France. Quatre équipes ont été désignées par la collectivité locale pour participer au concours de mise en lumière extérieure en prenant en compte l'apparence nocturne du stade qui a une influence importante dans le paysage urbain, Sur la façade de l'hôtel, composée de trois tours, nous avons proposé de dessiner des vagues de lumière, évocation des clameurs des supporters grâce à une alternance des nuances de bleu d'une heure à l'autre, qui donnent l'impression d'une vague déferlant dans le ciel nocturne. Personnellement, la perspective que j'avais présentée me plaisait, mais hélas le projet lui-même a été abandonné.

ラ＝ロッシュ・シュル ＝ヨン中央広場再開発計画
La Roche-sur-Yon
La Roche-sur-Yon

天空を抱く広場照明
フランス中西部にあるこの町は、ナポレオン1世によって建設された軍事都市に端を発する。その中央に位置するナポレオン広場の再開発コンペの予選を通過したとき、四角くだだっ広い広場にもっと物語を挿入できないかと考え、大地・都市・天空というこの地に重層する3枚のレイヤーを併せる光のデザインを提出した。結果、クラシックな都市計画を踏襲する妥当案が優勝。私達は2位に終わったが、こんなロマンチックな案、どこかに実現できないものかと、今も気にかけている。

Open space lighting that embraces the sky
Located in the central-west region of France, this city originated as a military city built by Napoleon I. At the time we passed the preliminary selection for the redevelopment competition for Napoleon Square, located in the center, I came up with the idea of weaving more of a story this vast square space and proposed a lighting design that has the three overlapping layers of the land, the city and the sky. In the end, a classic proposal that followed the traditional urban plan was selected. Our proposal finished second, but now I continue to hope that in the future, I will be able to realize this romantic proposal somewhere.

La place illuminée étreint le ciel nocturne
Située au centre-ouest de la France, La Roche-sur-Yon est une ancienne ville de garnison construite sous Napoléon 1er. Lorsque nous nous sommes qualifiées au concours pour le redéveloppement de la vaste esplanade centrale appelée place Napoléon, nous avons réfléchi à un moyen d'élaborer une histoire autour de cet espace carré, en proposant un design lumineux fusionnant les trois dimensions qui coexistent dans ce même lieu : la terre nourricière, la ville, et le ciel. C'est finalement un projet parfaitement conforme à l'urbanisme classique qui a été retenu. Nous avons terminé en deuxième position, mais j'ai toujours en tête de donner un jour vie à cette réalisation.

主催：ラ・ロッシュ・シュール・ヨン市
都市計画：オブラス
Competition organized by the City of La Roche-sur-Yon
Urban Planning by Obras

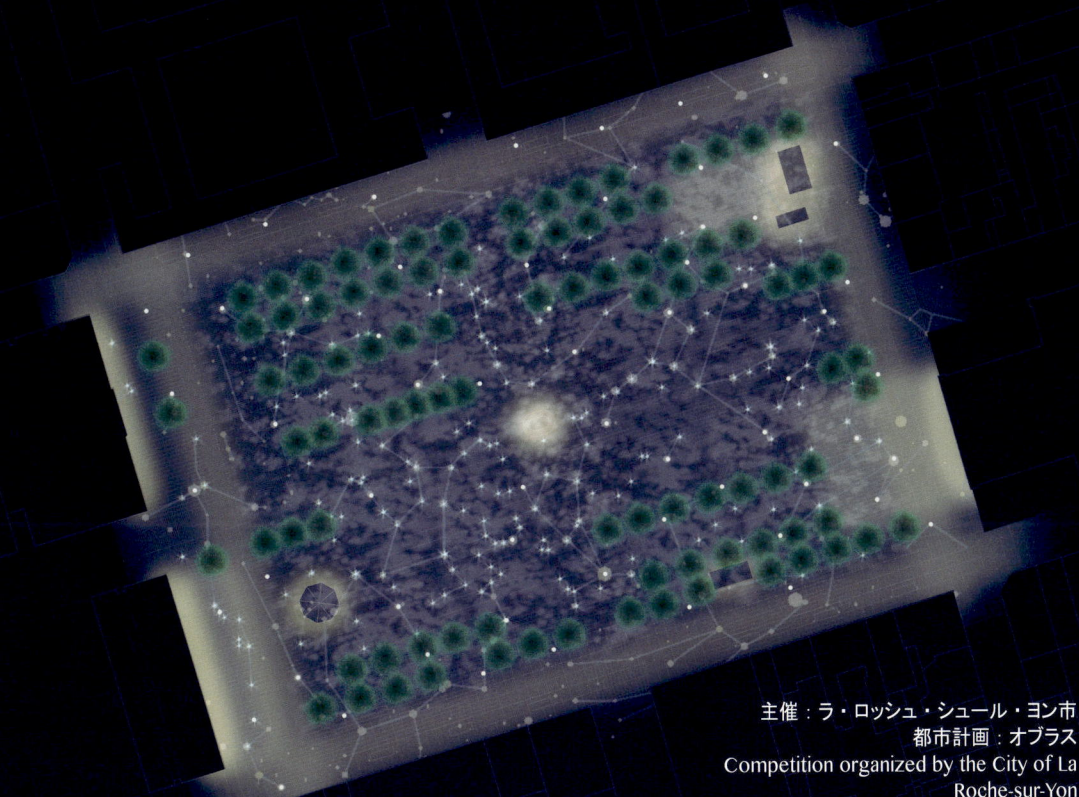

SCEQUENCES SCENOGRAPHIQUES
et THEME DE PARCOURS NOCTURNE

La Grande Arche　　　　Le Parvis　　　　La Grande Galerie　　　　Promenade des Arts　　　　La Terrasse
"Le symbole nocturne"　　"Place claire"　　"Galerie de Lumière"　　"Jardin de Nuit"　　"Belvédère d'Etoile"

Oeuvres lumières ou éclairées
Projecteur "Poursuite"
Signalétique au sol
Végétation éclairée
Lumière de la façade
Flux de visiteur nocturne

屋外美術館に劇場照明

1990年代に開発されたパリ西部のビジネス街ラ・デファンスは、フランスでも最大級の屋外現代美術展示場でもある。商業施設の発展などで作品が風景に埋没してしまったことを憂い、セノグラフィー（展示デザイン）コンペが開催された。超高層からダイナミックなライトダウンを行うなどの壮大な計画を提出したが、惜しくも2位。ちなみに、1位の案には無理があったため、計画全体が暗礁にのりあげているらしい。

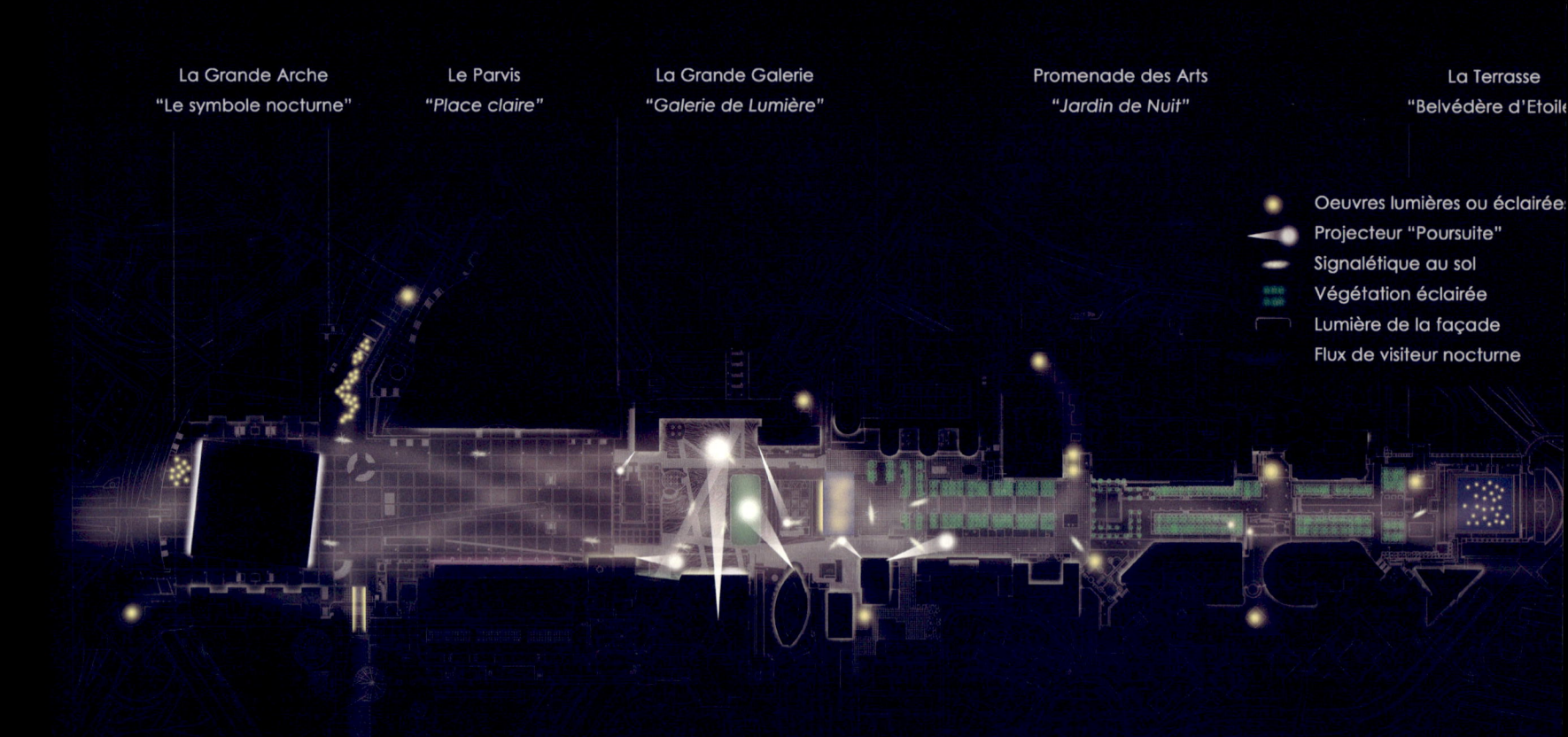

ラ・デファンス屋外美術館再開発計画
Scenographie of the Artworks at La Defense
Scénographie des œuvres d'art de la Défense

Competition organized by EPGD
Urban Planning by Anyoji & Beltrando

Theater lighting for outdoor art museum

La Defense is a business district in west Paris that was developed in the 1990s. It is also the site of the largest outdoor contemporary art exhibition space in France. Because of concern that the surrounding environment, such as the development of retail facilities, was burying the works, a scenography (exhibition space design) competition was held. We submitted a large-scaled plan to implement a dynamic light-down from high-rise buildings, but it unfortunately came second. Incidentally, the winning proposal encountered problems and the entire project is now at an impasse.

Éclairage scénique au sein d'un musée en plein air

La Défense, immense quartier d'affaires à l'ouest de Paris, développé dans les années 90, est aussi la plus grande galerie française d'exposition d'art contemporain en plein air. Inquiets de voir les œuvres ensevelies sous le paysage urbain commercial en constant développement, les responsables ont organisé un concours de scénographie. Le plan lumière que j'ai présenté pour ce site était de grande ampleur, basé sur des projections dynamiques depuis les sommets des tours. Mais hélas, nous n'avons terminé qu'en deuxième position. Le schéma gagnant s'étant avéré par la suite irréalisable, l'ensemble du projet a été mis en attente…

美術史を縦断するための光
ジャン・ヌーヴェル設計によるルーヴル・アブダビ美術館は、建築ばかりに話題が集中しているが、中身の展示にもルーヴル・コレクションの粋が結集される予定である。建設に先立ち、古代から現代までのアートを横断する半常設展示の空間デザインコンペが2011年に開催された。太古の星空と炎の時代から現代のLEDの時代までの変遷を、光の「白さ」のニュアンスで表現し、各時代のアートに合わせた展示空間をつくることを提案。より白い方へ進むと順路を辿ることができる、という趣向を展開した。残念なことに2位だったが、それ以来、美術史と白というテーマについて、より深く考えるようになった。

Lights expressing traversal through art history

The Louvre Abu Dhabi art museum is designed by Jean Nouvel. While all talk has been centered on the architecture, the exhibition inside is also planned to be very attractive thanks to a part of the Louvre collection. Ahead of its construction, a competition was held in 2011 for space design for the semi-permanent exhibition that will provide a cross-section of art from the ancient to the contemporary. We proposed an exhibition lighting that represents each age by expressing the transition from the age of starry skies and flames of ancient times to the contemporary age of LED through the nuance of different "whiteness" of light. It developed from the idea of being able to trace a route through the exhibition by following the whiter way. The proposal unfortunately came second, but since making this proposal, I have given greater consideration to the relationship between the art history and the color white.

La lumière traverse l'histoire de l'art

Le Musée du Louvre à Abu Dhabi, réalisé par Jean Nouvel, a fait sensation dans le monde de l'architecture. Il prévoit de présenter dans son espace central la quintessence des collections du Louvre. Une compétition a été ouverte en 2011, avant même la construction, pour scénographier de l'exposition semi-permanente couvrant les périodes de la Haute-Antiquité jusqu'à l'Art Contemporain. J'ai proposé un concept basé sur l'évolution de la couleur blanche, en parallèle avec l'art de chaque époque, depuis le ciel étoilé et l'ère du feu, jusqu'aux LEDs actuelles. Le visiteur était guidé vers un blanc de plus en plus pur. Nous ne sommes malheureusement parvenus qu'en deuxième position, mais à partir de cette expérience, j'ai approfondi ma réflexion sur le thème du rapport entre l'histoire de l'art et la couleur blanche.

ECLAIRAGE / LIGHTING

| Clair de Lune / Moon Light | Foyer ambre / Amber Pot | Soleil doré / Golden Sun | Feux orangés / Orange Fire | Eclats dorés / Brilliant Golds | Blanc froid / Cool White |

1. Introduction / Introduction
2. Ere du bronze / Bronze Age
3. Archéologie / Archeology
4. Moyen Age / Middle Age
5. Renaissance / Renaissance
6. 19-21°siècle / 19-21st century

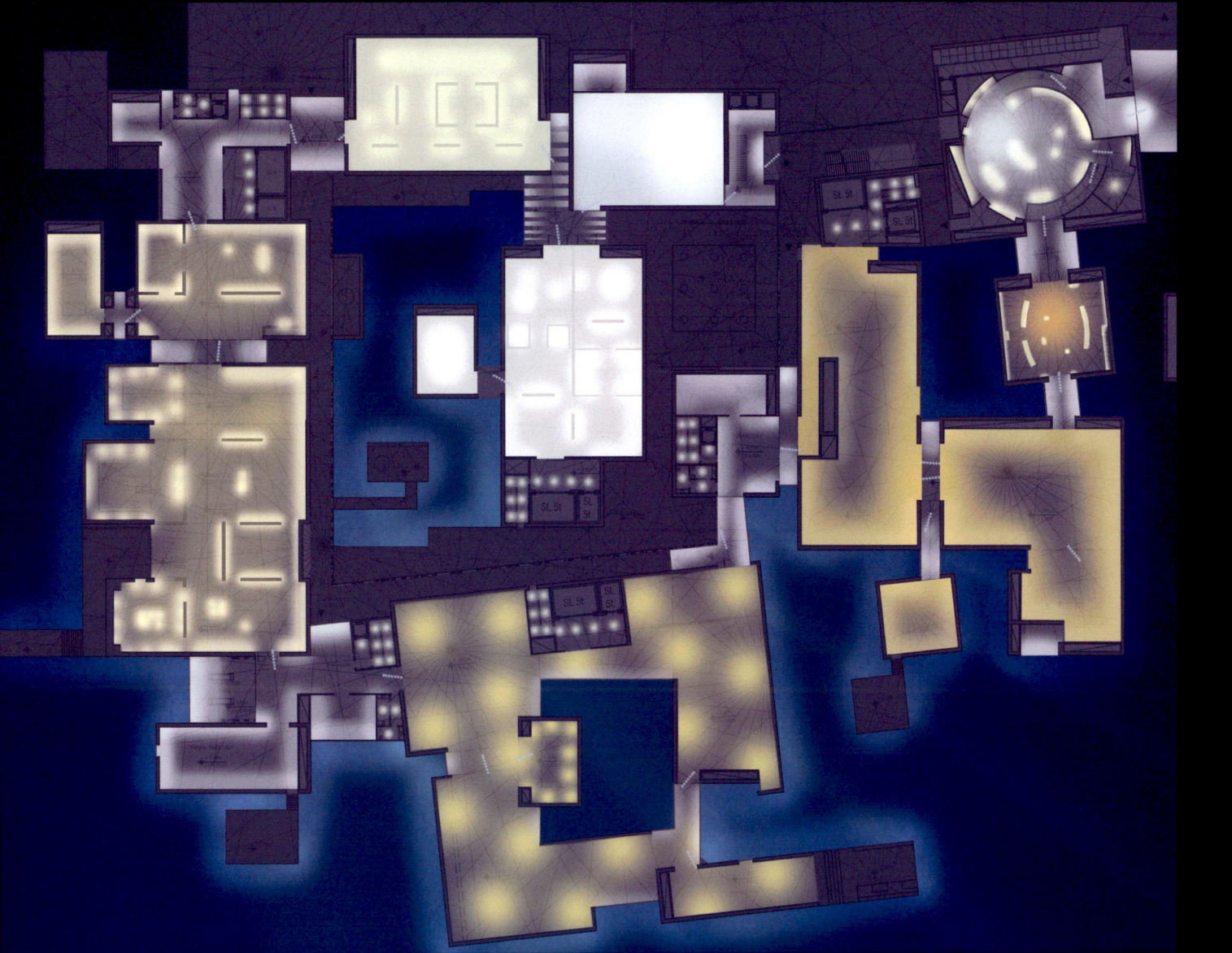

ルーヴル美術館アブダビ
常設展示
Louvre, Abu Dhabi
Louvre, Abu Dhabi

主催：ルーヴル・アブダビ
展示デザイン：ディディエ・ブラン
Competition organized by the Louvre Abu Dhabi
Scenography by Didier Blin

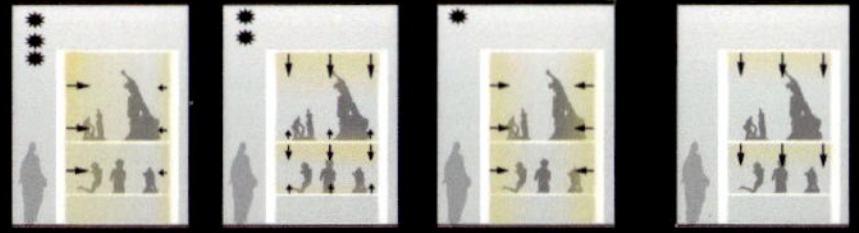

ヴェルサイユ宮殿 歴史のギャラリー
Versailles Palace Gallery of History
Galerie des Histoires, Versailles

伝統とモダンの狭間で
ヴェルサイユ宮殿の歴史を辿る常設展示のリニューアル・コンペに応募したときは、最終選考に残るなどと思っていなかった。伝統の重みとモダニティーを両立させる、フランスらしいタッチの案を提出し、最終プレゼンまでこぎつけたが、2位に終わった。後から、審査員の中には随分私達の案への応援演説が多かったと聞いた。惜しい。

Between tradition and modernity
When we applied for the competition for the renewal of the permanent exhibition that traces the history of the Palace of Versailles, we did not expect to become one of the finalists. We submitted a proposal with a French touch that combined both respect for tradition and modernity. We made it until the final presentation but ended second. Later we heard from a member of the judging panel that there were many speeches in support of our proposal. So it must have been close.

Entre tradition et modernité
Quand nous avons participé au concours pour la rénovation des collections permanentes qui racontent l'histoire du château de Versailles, nous avons été très heureux de faire partie des sélections finales. Nous sommes arrivés en deuxième position, avec un concept très français, qui conciliait le poids de l'histoire et la modernité. Nous avons su après coup qu'une grande partie du jury avait défendu notre projet. Quel dommage…

主催：ヴェルサイユ宮殿
展示デザイン：ディディエ・ブラン
Competition organized by the Versailles Palace
Scenography by Didier Blin

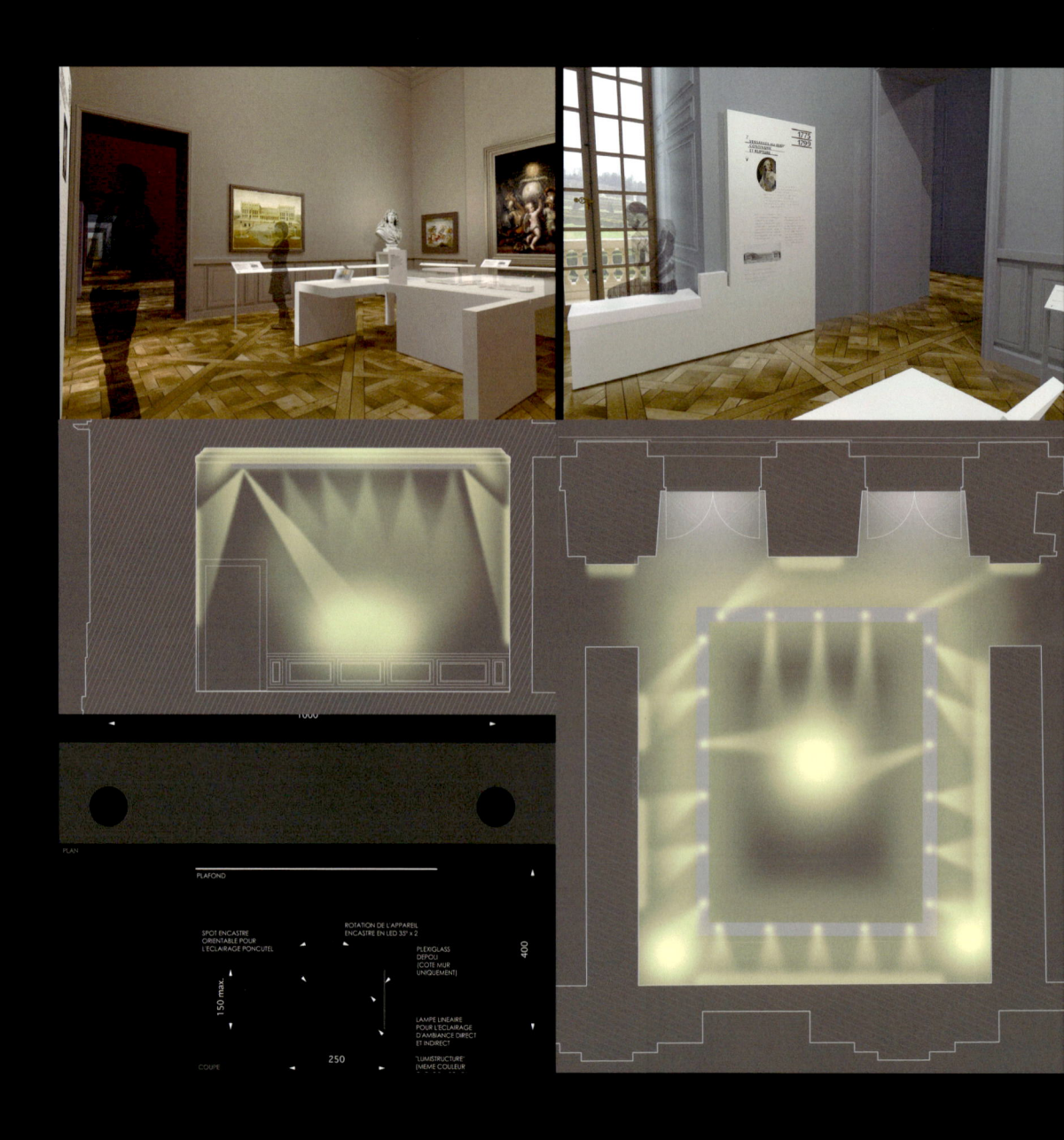

ヴェルサイユ サン・ルイ大聖堂光のショー
Versailles Cathedral of Saint-Louis
Cathédrale Saint-Louis, Versailles

建築との対話を光で表現
ヴェルサイユの信仰の中心地である、サン・ルイ大聖堂のファサードを舞台にしたスペクタクルを考案するというコンペに応募した。教会の前のカフェに何時間も陣取り、建物と対話するように、その外観、構造、屋内の様子などを光で展開していくストーリーを考え出した。落選はしたものの、独立したての私にとって、このエクササイズは糧となり、その後のイベント照明への足がかりを築いた。

主催：ヴェルサイユ市
コラボレーション：キャロル・フェレリ
Competition organized by the City of Versailles
Collaboration with Carole Ferreri

Light to express a dialogue with architecture
We applied to competition that was proposing a spectacle using the facade of the Saint-Louis cathedral, the center of religious faith of Versailles, as the stage. We spent long hours in a cafe in front of the church, engaging in some kind of conversation with the architecture. We came up with a story that uses light to develop the states of this outer facade, structure and interior. Although it was unsuccessful, as I had just become independent, it was good exercise for me and I think it gave me a leg up for subsequent event lighting projects.

Dialogue entre architecture et conception lumière
Nous étant inscrites au concours de mise en lumière du spectacle qui est projeté sur la façade de la cathédrale, centre spirituel de la ville de Versailles, nous avons commencé par nous installer pendant des heures dans le café qui fait face à l'édifice. Comme en dialoguant avec lui, nous avons inventé une histoire qui dévoilait en lumière son apparence, sa structure et son aspect intérieur. Même si notre projet n'a pas été retenu, cette expérience m'a nourrie et a construit les bases de mes travaux de scénographie futurs, un apport important puisque je venais d'ouvrir mon agence.

SITES PRINCIPAUX SUR TERRE

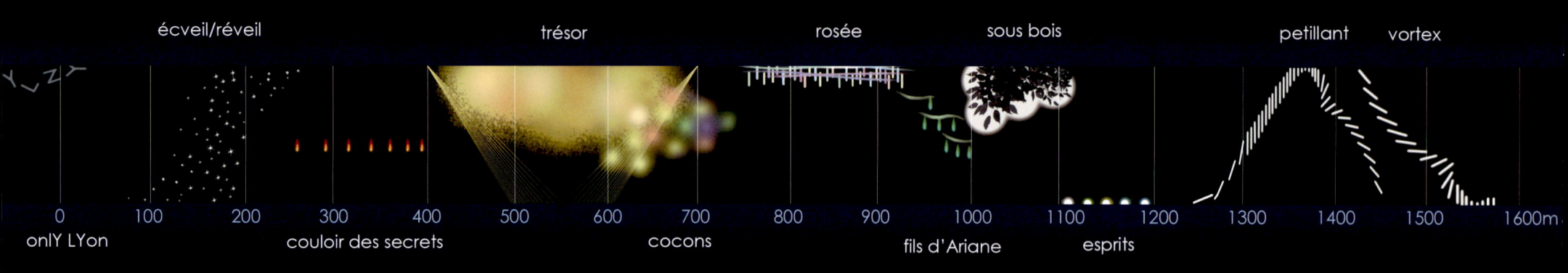

écveil/réveil   trésor   rosée   sous bois   petillant   vortex

0   100   200   300   400   500   600   700   800   900   1000   1100   1200   1300   1400   1500   1600m
onlY LYon   couloir des secrets   cocons   fils d'Ariane   esprits

リヨン・メトロ・アート
Lyon Metro Art
Métro de Lyon - Art urbain

PLAN DU TUNNEL

PONTE DU TUNNEL EN SECTION

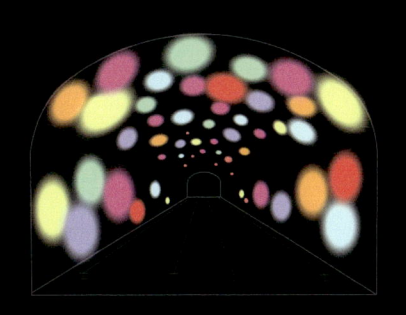

地下空間に光イリュージョン
光の先駆者を自負するリヨン市が、地下鉄用トンネルをスクリーンにして、光の常設ショーを展開するという構想を打ち立てた。数名の照明デザイナーやアーティストが指名コンペに招聘され、夜中の地下道をひたすら歩いた。地上のモニュメントなどと呼応するストーリーを編み出し、恒久的な器材や手法のみを使って実現できるように知恵を絞った。地下鉄の速度の変化や、傾斜などの地形も考慮にいれた、いつもと違うデザイン・デベロップメントの成果が実り、ポール・ポジションに付けたが、計画自体が見合わせられてしまった。

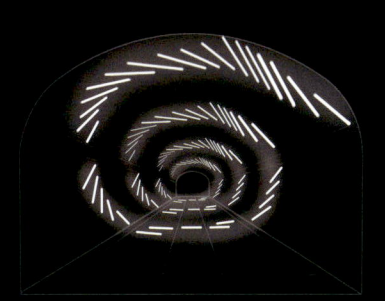

Illusion of light in underground spaces

The City of Lyon, which takes pride as a forerunner for lighting came up with the concept of developing a permanent light show by making the subway tunnels the screen. Several lighting designers and artists were invited to participate in a selective competition and our team dedicatedly walked the subway tracks during the night. We worked out a story in which there was interaction with above-ground monuments, and put together all our wisdom on how to realize this using only permanent fixtures and techniques. As a result of our innovative design development which included considerations such as the changes in speed in the subway trains, and the lay of the land, such as slopes, we were placed in pole position, but the project itself was shelved.

Illusion lumineuse en souterrain

La ville de Lyon, précurseur dans le domaine de la lumière, a planifié un spectacle lumineux permanent mis en scène dans les couloirs du métro. Plusieurs concepteurs lumière et artistes ont été invités à participer à la compétition et nous avons parcouru avec ardeur les couloirs du métro au milieu de la nuit. Nous avons créé une histoire en écho aux monuments situés en surface et nous sommes efforcées de la concevoir au moyen de techniques résistantes et pérennes. Cette proposition hors des sentiers battus, qui prenait en considération des paramètres tels que les changements de vitesse du métro ou la configuration de son inclinaison a été très remarquée, mais c'est hélas le projet lui-même qui a été reporté.

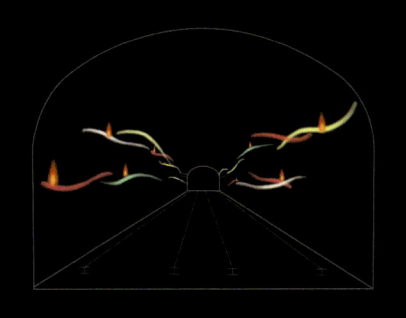

主催：リヨン市
コラボレーション：キャロル・フェレリ
Competition organized by the City of Lyon
Collaboration with Carole Ferreri

ミラノ照明デザイン展
Milan Lighting Design
Milan Lighting Design

ミラノの貴婦人、光の衣替え
「冬のミラノで光の祭典を開催するので出展してほしい」と要請があり、すぐに現地に飛んだ。白亜に輝くドゥオーモと大聖堂はプロジェクションに最適で、モードの都として知られるこの街の貴婦人に、光の着せ替えをするという案を提出した。大々的な記者会見で紹介され期待を集めたが、別のイベントで、心ない内容を外壁に映写されたことに激怒した大司教が、全てのプロジェクションを禁止したため、計画を断念せざるをえなくなった。迷惑な話だ。

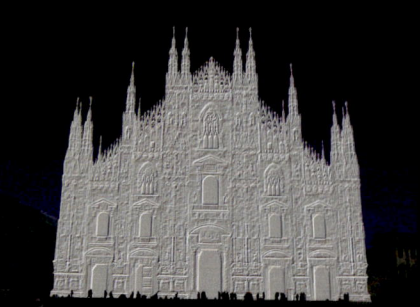

Light providing clothes for madam of Milan
I received the request: "We are going to hold a festival of lights in the winter in Milan, and we want you to participate." I immediately flew to the site. My team submitted a proposal whereby the snow white Duomo di Milano cathedral would be suited for a projection so that a change of clothes would be given to this madam of the town, known as the city of mode. Expectation was built up by introducing it at a large press conference. However, the archbishop became furious over heartless contents projected on his cathedral in a separate occasion, and all projections were prohibited. This meant our project had to be canned, which was a true disappointment for us.

主催:ミラノ市
コラボレーション:キャロル・フェレリ
Competition organized by the City of Milano
Collaboration with Carole Ferreri

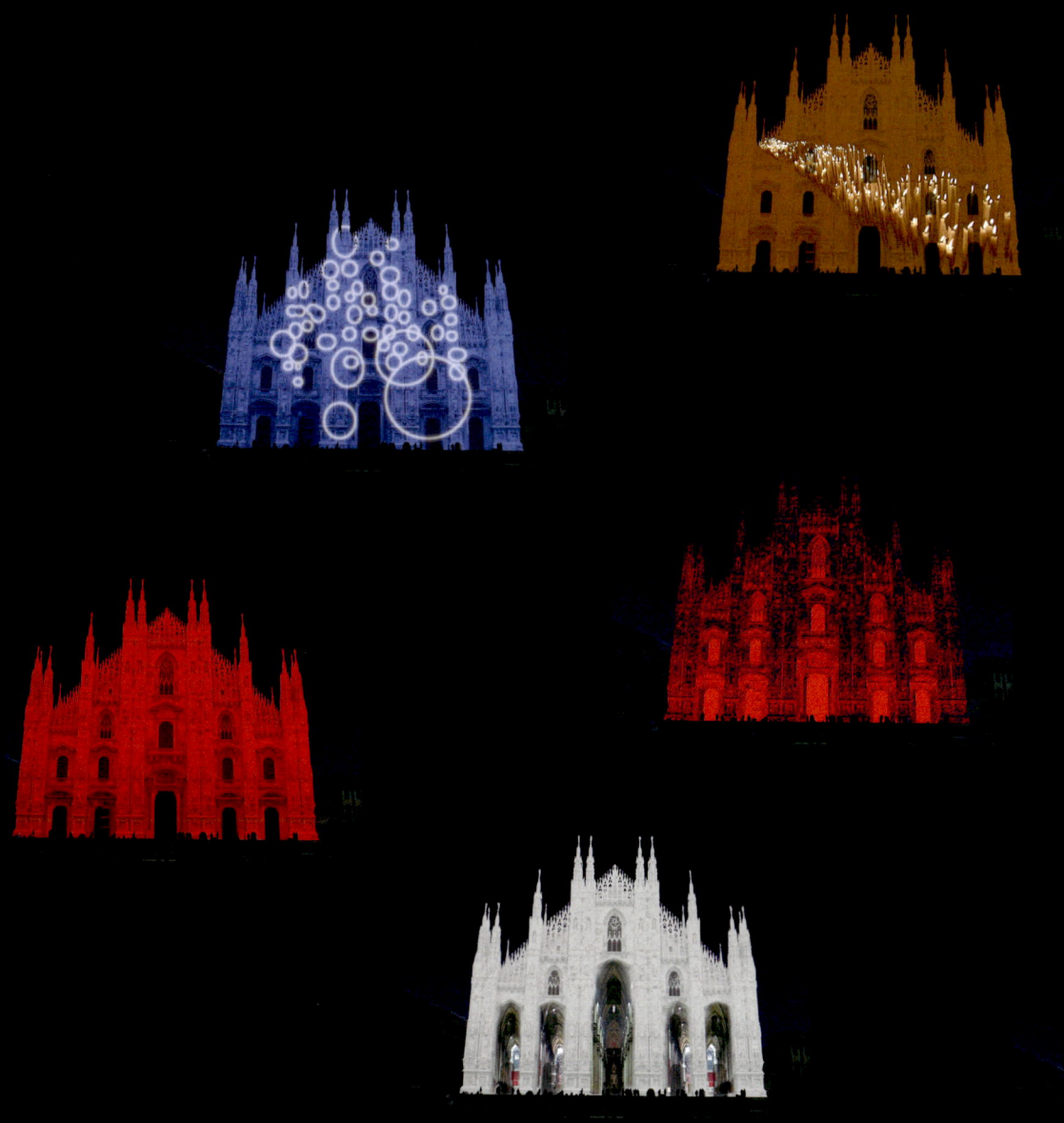

La grande dame de Milan en habits de lumière

On nous a invité à participer à un festival de lumière organisé à Milan durant l'hiver. Intéressées, nous nous sommes immédiatement rendues sur place. Le dôme brillant comme de la craie était une façade de projection idéale et comme Milan est la ville de la mode par excellence, nous avons tout de suite imaginé une grande dame changeant de vêtements lumineux. Le projet fut présenté au cours d'une importante conférence de presse et il était déjà très attendu quand l'archevêque, furieux de découvrir le contenu d'un autre évènementiel de projection qu'il jugeait totalement inapproprié, a tout interdit et fait abandonner le projet. Mon confrère avait manqué de délicatesse…

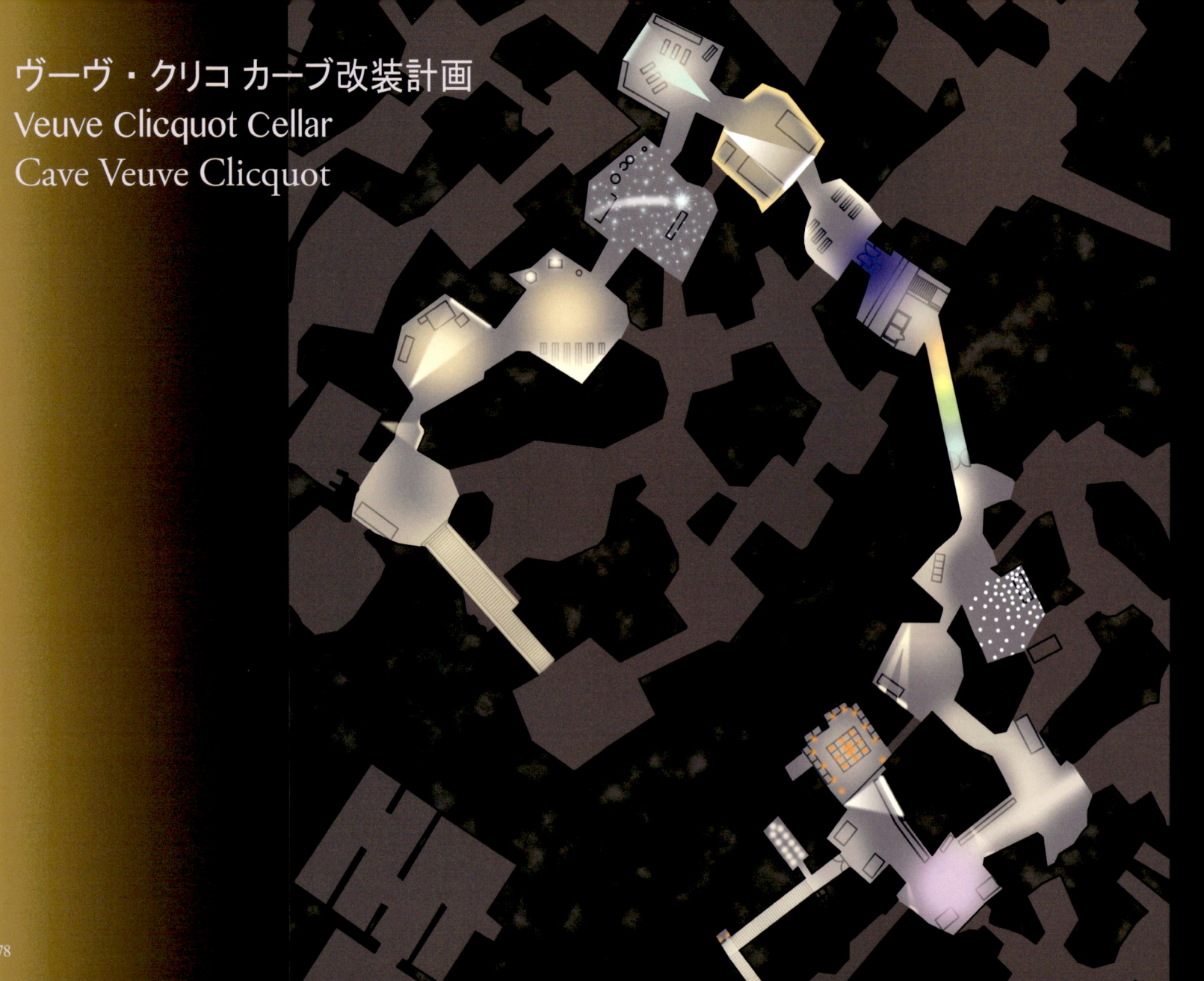

ヴーヴ・クリコ カーブ改装計画
Veuve Clicquot Cellar
Cave Veuve Clicquot

主催：ヴーヴ・クリコ・ポンサルダン
照明デザイン：石井幹子
Competition organized by Veuve Clicquot Ponsardin
Lighting Design by Motoko Ishii

光のナレーション

シャンパン・メーカーのヴーヴ・クリコは、創業以来の本拠地であるフランス・ランス市内に、広大な地下製造所兼貯蔵所を有しており、見学コースとしても活用している。その照明をリニューアルするためのコンペにアシスタントとして参加した。各コーナーで説明される内容や、製造過程などを詳細に学び、それを光でナレーションしていくようなシナリオを考案した。大胆すぎて評価されず、残念なことに2位に終わったが、光の粒子を魔法の棒で振りまくような、楽しい夢を見た気がするコンペだった。

Narrative lights

Champagne maker Veuve Clicquot has a large winery and cellar where they offer visitor tours. It is located in the city center of Reims, which is the company's headquarters since it was founded. I participated as an assistant in a competition for the renewal of lighting there. We precisely studied the content explained at each space and the details for each part of the champagne-making process, and then we proposed a scenario of narratively expressing all of this by light. Although our proposal was considered too audacious, and unfortunately, we finished second, it was a competition that allowed me to see fun dreams such as shaking particles of light with a magic wand.

Lumières narratives

A Reims, siège de son établissement, la prestigieuse marque de champagne Veuve Clicquot possède, dans son immense sous-sol, une fabrique doublée d'une cave dont elle a également fait un lieu de visite. J'ai participé en tant qu'assistante à la compétition pour la rénovation de sa mise en lumière. Notre scénario consistait en une sorte de narration mettant en lumière, au sens propre comme au figuré, chaque zone avec son contenu ainsi que les détails du processus de fabrication. Malheureusement jugé trop audacieux, notre projet n'est arrivé qu'en deuxième place, mais cette expérience demeure pour moi comme un doux rêve où j'envoyais avec ma baguette magique des particules de lumière çà et là…

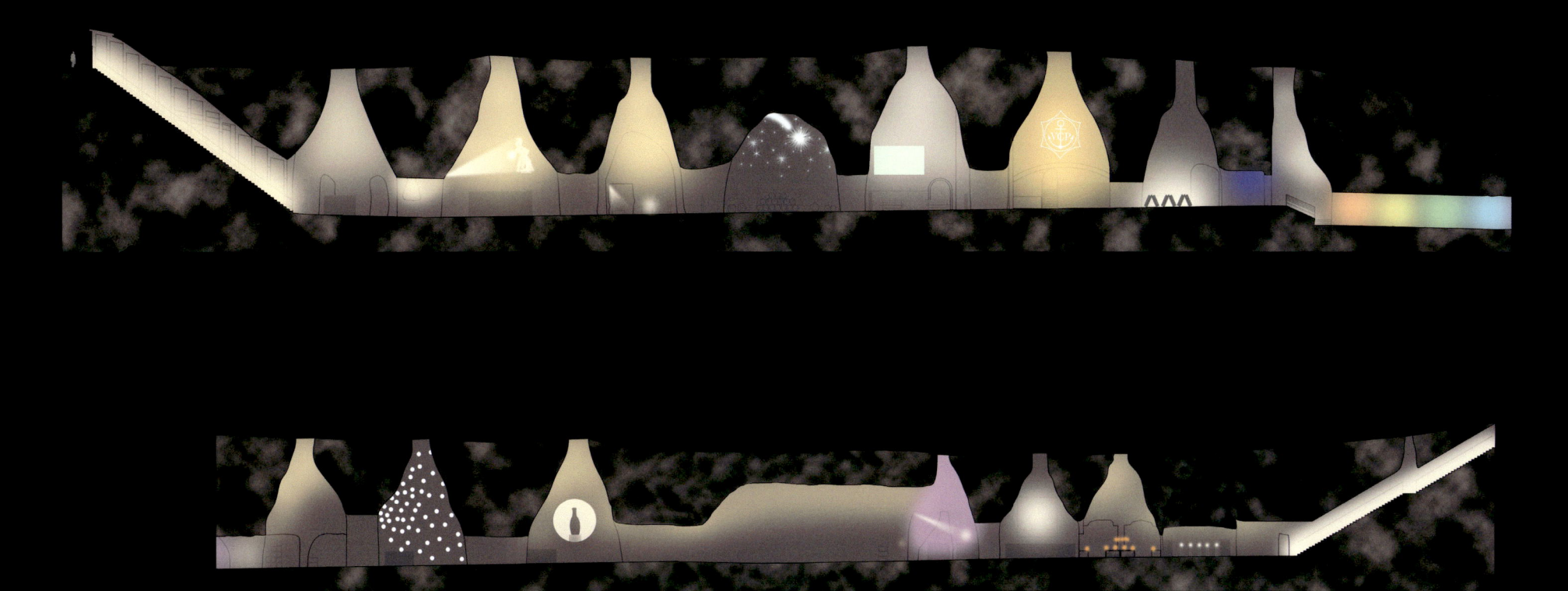

カルメン・イン・セビリア
Carmen in Sevilla
Carmen, Séville

光で描くロマンス
「オペラ・オン・サイト」という世界的な企画のひとつとして、台本の舞台となっているセビリアの町並みを背景に『カルメン』を上演するという、壮大な計画が立ち上がった。照明アシスタントとして現地に赴き、世界のメディアに向けた記者会見など、華やかな場に立ち会った。1幕目のカルメンが働いていたとされるタバコ工場跡から、最終幕の闘牛場まで、幕毎に場所を変え、休憩時には町中が劇場ロビーになるという。街全体を光で変貌させ、うたかたの劇場都市をつくり出す、ロマンスいっぱいのプロジェクトがスタート。私のモチベーションも盛り上がって、スペイン語やフラメンコまで習い始めたところで、出演者などの都合で無期延期となった。最も心残りな、幻のプロジェクトと化した。

主催：インターナショナル・フェスティバル・オブ・ミュージック・オブ・セビリア
照明デザイン：石井幹子
Produced by International Festival of Musec of Sevilla
Lighting Design by Motoko Ishii

Romance depicted by light

A grand plan was hatched to perform Carmen with the streetscapes of Seville as the stage as part of an international project called "Opera on Site." I visited the location as a lighting assistant and attended impressive occasions such as a press conference with journalists from the world's media. From the ancient cigarette factory where Carmen of the first scene had supposed to be working, through to the bull ring of the final scene, the location changed each act. The entire town then became the theater lobby during the intervals. This romance-filled project started with us transforming an entire city with light and creating an ephemeral theater city. Just when I was extremely motivated and had begun to learn Spanish and Flamenco, the production was delayed indefinitely because some performers were unable to attend. It became my most regretful unrealized project.

Une romance de lumière

J'ai eu la chance de participer à l'élaboration du grandiose plan lumière du projet mondial Opera on site, représentation de l'opéra de Bizet dans son décor original qu'est la ville même de Séville. Présente sur place en tant qu'assistante lumière, j'ai pu assister à la magnifique présentation du programme lors d'une conférence de presse réunissant les médias du monde entier. Depuis les vestiges de la fabrique de tabac dans laquelle travaillait Carmen, jusqu'aux arènes de la scène finale, chaque acte se déroulait dans une partie différente de la ville, qui se transformait en coulisses et en loges pendant les pauses. C'était le début d'un projet plein de romance dans lequel la lumière métamorphosait la ville entière en un théâtre chantant. J'étais tellement enthousiaste que j'avais même commencé à apprendre l'espagnol et le flamenco, quand le projet a été ajourné à cause des agendas des participants, entre autres. Parmi tous mes projets, c'est l'interruption qui m'a occasionnée le plus de regret.

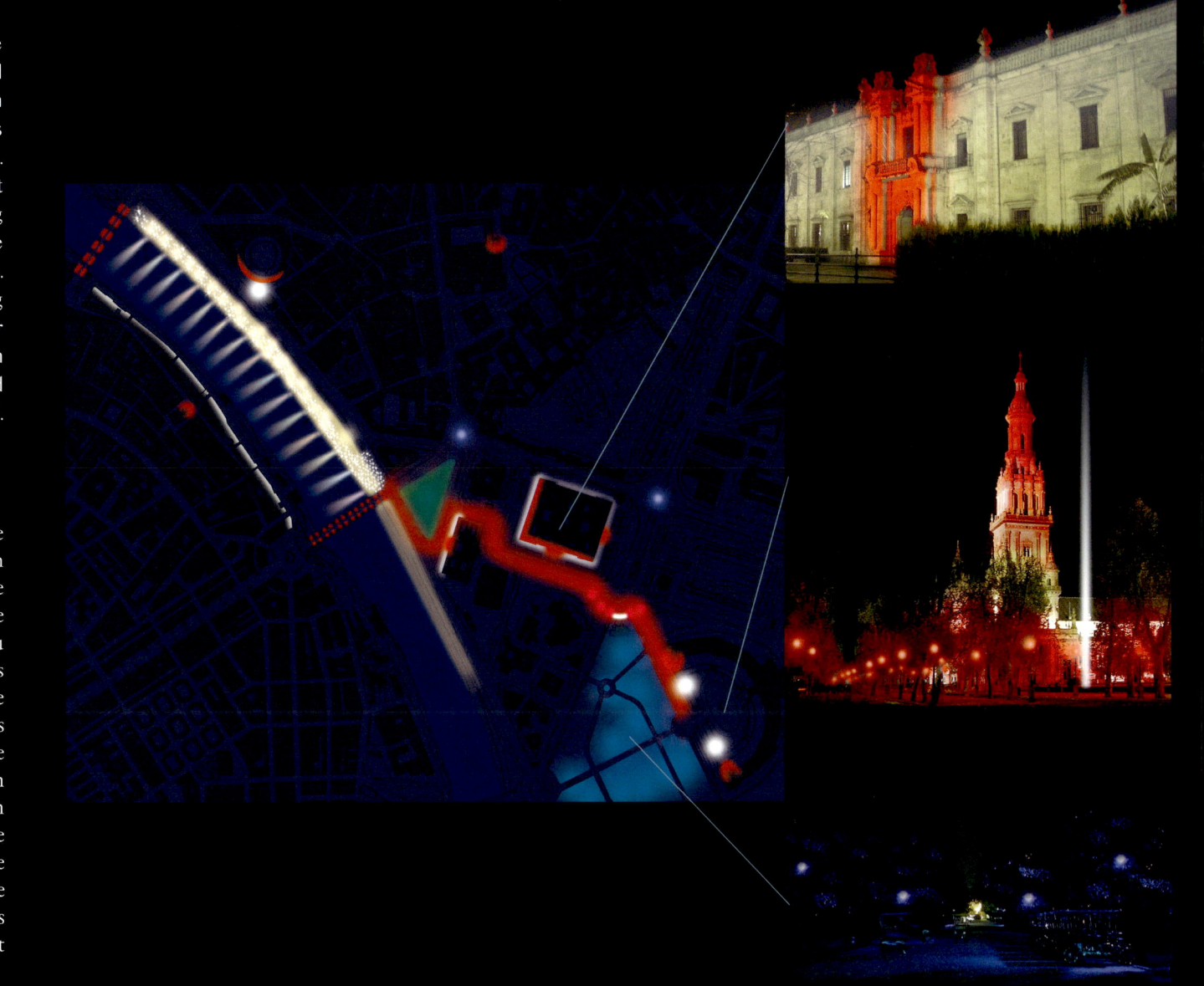

Light and video to provide wish for future

A lighting event was planned to commemorate the 40th anniversary of the normalization of Japan-China relations. We proposed a spectacle of light and sound in southern Beijing using Yongdinmen Gate, which was constructed in the Ming dynasty, as the stage. Original video art that used calligraphy written by children of both countries, and sound arranged from folk musics was created. Although the project proceeded as far as this, social tensions arose and it became impossible to realize. Instead, the content was projected inside the hall of the Japanese Embassy in China. I hope for someday when a Japan-China-diplomatic light event free of ill-feelings can be held in Beijing.

Des vœux en lumière et en vidéo

Un événement a été organisé pour commémorer la quarantième année du rétablissement des relations diplomatiques entre la Chine et le Japon. Nous avons proposé un spectacle son et lumière sur la porte Yongdingmen située au sud de Pékin et construite à l'époque Ming. Notre concept était un mélange d'art vidéo original utilisant des calligraphies réalisées par des enfants des deux pays, et un arrangement musical à base de chants populaires. Hélas, à cette étape de la préparation, le climat social s'est soudain détérioré, mettant un coup d'arrêt au projet. Il a quand même été projeté dans le hall de l'ambassade du Japon en Chine. Le jour viendra-t-il où nous pourrons réaliser cet événement lumière sur les relations sino-japonaises en toute sérénité ?

光と映像で未来に願いを

日本と中国の国交正常化40周年という節目の年を記念して、光イベントを企画した。北京南部、明朝時代に建設された永定門を舞台に音と光のスペクタクルを考案し、両国の子供達によって書かれた漢字の書をモチーフにしたオリジナル・ビデオ・アートと、民謡をアレンジしたサウンドを作成した。そこまで来たところで社会的情勢が悪化し、実現不可能に。代わりに在中国日本大使館内ホールで上映がなされた。いつか、憂いなく日中交流光イベントを北京でできる日がこないものか。

主催：2012「日中国民交流友好年」記念光イベント実行委員会
後援：在中国日本国大使館　他
支援：日本国文化庁
協賛：三菱商事株式会社、住友化学株式会社
　　　パナソニック株式会社　アサヒビール株式会社
協力：東京国立博物館　全日本空輸株式会社　光文化フォーラム
ライティングデザイン：石井幹子＆石井幹子デザイン事務所
スペースメディアデザイン：石井リーサ明理＆I.C.O.N.

Organized by the Executive Committee for Lighting Event Commemorating Japan-China Friendship Year 2012
Supported by the Embassy of Japan in China, Agency for Cultural Affairs, Japan etc.
Sponsors: Mitsubishi Corporation, Sumitomo Chemical, Panasonic, Asahi Beer
Cooperation: Tokyo National Museum, All Nippon Airways, Inter Light Forum
Lighting Design: Motoko Ishii & Motoko Ishii Lighting Design
Space Media Design: Akari-Lisa Ishii & I.C.O.N.

光響創造「悠久時空・友好未来」
Creation of Light and Sound "Eternal Time-Space and Friendship for the Future"
Création d'un son et lumière "Espace-Temps Eternel et Amitié pour l'Avenir"

中日国民交流友好年　　日中国民交流友好年

I.C.O.N.
Ishii Conception Office Network   www.icon-lighting.com

石井リーサ明理（いしい りーさ あかり）

I.C.O.N. 代表
フランス照明デザイナー協会（ACE）正会員
日本照明学会公認照明コンサルタント
東京都市大学客員准教授

略歴：
東京生まれ。
東京芸術大学美術学部卒業。
東京大学大学院総合文化研究科修士課程修了。
その間、UCLA（ロサンゼルス）、ESDI（パリ）にてデザインを学ぶ。
ニューヨーク、ハワード＝ブランストン＆パートナーズ社（N.Y.）での照明デザイン研修、
石井幹子デザイン事務所（東京）にて都市環境から住宅まで幅広い照明プロジェクトに参加。
1999 年、パリ、ライト・シーブル社に移籍後すぐにプロジェクト・チーフ・デザイナーに抜擢され、
ヨーロッパのモニュメント建築から、アジアの都市全体計画まで国際的な照明プロジェクトに貢献。
2004 年独立し（株）I.C.O.N. を設立。東京とパリを拠点に引き続き、
国際的な照明デザイン・プロジェクトに従事すると同時に、光文化の研究、
グラフィックデザイン・写真・絵画などアートワーク制作を進めるとともに、
デザインや照明の専門誌への執筆や、国際照明会議での講演活動も積極的に展開している。

受賞歴
北米照明学会デザイン賞（2014 年、シェルブール給水塔に対して）
北米照明学会デザイン賞（2014 年、歌舞伎座に対して）
北米照明学会インターナショナル部門賞（2012 年、21KOMCEE に対して）
フランス照明デザイン協会 ルミヴィル・トロフィー（2009 年、修道院「ラ・プサレット」に対して）
北米照明学会デザイン賞（2011 年、ポンピドーセンター・メッツに対して）
北米照明学会デザイン賞（2009 年、バルセロナ見本市会場照明に対して）
安宅賞（1994 年、東京芸術大学最優秀学生に対して）

著書
「光に魅せられた私の仕事 〜 ノートル・ダム ライトアップ プロジェクト」（講談社）
「都市と光 〜 照らされたパリ」（水曜社）

Akari-Lisa ISHII

Principal of I.C.O.N.
Active member of ACE
Member of Japan Design Forum
Guest associate professor of Tokyo City University
Born in Tokyo

EDUCATION & DIPLOMES

1990 -1994	Tokyo National University of Fine Arts and Music
1990	University of California Los Angeles, Design School
1991	Diploma of Lighting Consultant, IES Japan
1994 -1996	Master degree of Fine Arts at University of Tokyo
1994 -1995	Ecole Superieure de Design Industriel, Paris

PROFESSIONAL EXPERIENCES

1994	Intern at lighting design office Light Cibles, Paris
1996	Intern at lighting design office Howard Brandston & Partners, NY
1996-1998	Design staff at Motoko Ishii Lighting Design, Tokyo
1999-2003	Project chief designer at Light Cibles, Paris
2004	Foundation of independent lighting design office I.C.O.N. in Tokyo and Paris

AWARDS

"Award of Merit" IES for Water Tower Cherbourg (2014)
"Award of Merit" IES for Kabuki Theater (2014)
"International Section Award" IESNA for 21KOMCEE (2012)
"Award of Merit", IESNA for the Centre Pomidou Metz (2011)
"Trophee Lumiville, patrimoine bati" for the cloister "la Psalette" (2009)
"Award of Merit" IESNA for the Exhibition Site Monjuic 2, Barcelone (2009)
"Award Ataka" (1994)

BOOKS

"My Work, Fascinated by Lights" text in Japanese (Kodansha, Tokyo, 2004)
"City and Light –Enlightened Paris" text in Japanese (Suiyosha, Tokyo, 2005)

Akari–Lisa ISHII

Présidente d' I.C.O.N. Inc / Gérante d'I.C.O.N. sarl
Membre actif de l'ACE
Membre du Japan Culture Design Forum
Professeur associé de la Tokyo City University
Née à Tokyo

FORMATION

1990 - 1994	Université Nationale des Beaux Arts et Musique de Tokyo
1990	Université de Californie Los Angeles : Ecole de Design
1991	Diplôme de consultante en éclairage, IES Japon
1994 - 1996	Maître des Beaux Arts à l'Université de Tokyo; cours magistraux
1994 - 1995	Ecole Supérieure de Design Industriel, Paris

EXPERIENCE PROFESSIONNELLE

1994	Bureau d'étude d'éclairage Light Cibles, Paris
1996	Bureau d'étude d'éclairage Howard Brandston & Partners, NY
1996 - 1998	Bureau d'étude d'éclairage Motoko Ishii Lighting Design, Tokyo
1999 - 2003	Bureau d'étude d'éclairage Light Cibles, Paris (chef de projet)
2004	Fondation du bureau de conception lumière I.C.O.N.

AWARDS

« Award of Merit » IES pour le Château d'Eau de Cherbourg (2014)
« Award of Merit » IES pour le Théâtre de Kabuki(2014)
« International Section Award » IESNA pour 21KOMCEE (2012)
« Award of Merit », IES pour le Centre Pompidou Metz (2011)
« Trophée Lumiville, patrimoine bâti » pour le cloître « la Psalette » (2009)
« Award of Merit », IES pour le Parc d'Exposition Monjuic 2, Barcelone (2009)
« Award Ataka » (1994)

LIVRES

« Mon œuvre, fasciné par la lumière » en japonais (Kodansha, Tokyo, 2004)
« La Ville et la Lumière – Paris enchantée » en japonais (Suiyosha, Tokyo, 2005)

この本ができるまでに、お世話になった皆様に、心より感謝します。

本文で紹介した各プロジェクトのクライアント、パートナー、チームメンバー、コラボレーター、現場担当業者。

複雑な著作権許可関係を、粘り強くクリアーし、レイアウトや推敲にも尽力してくれた、I.C.O.N. の才色兼備のスタッフたち。

企画段階から色校に至るまで、ずっと辛抱強く見守って下さった求龍堂の足立龍太郎相談役、足立欣也社長、そして佐藤佳子部長、深谷路子女史、それから、美しいカラー印刷技術をお持ちの錦明印刷にも。

いつも側にいて励ましてくれる家族。常に厳しく適切なアドバイスをくれながらも、本書の出版を自分のことのように喜んでくれた両親、心より感謝しています。

そして光の美しさに心を傾けて下さる全ての方へ、この本を贈ります。

I am sincerely grateful for everyone who helped bring this book to reality.

Thanks to the clients, partners, team members, collaborators and on-site crew of each of the projects showcased in this book.

Thanks to the gifted and wonderful staff of I.C.O.N. who tenaciously cleared the hurdles of various copyright issues, and worked tirelessly on the layout and text.

Thanks to Kyuryudo Art-Publishing, especially senior advisor, Mr. Ryutaro Adachi, president, Mr. Kinya Adachi, general manager, Ms. Sato and her assistant Ms. Fukaya, for patiently overseeing the project from the planning stage until the color proofing stage, as well as Kinmei Printing who has a tremendous color printing techniques.

Thanks to my family who are always by my side encouraging me, especially to my parents for their ever-discerning and appropriate advice and their enthusiasm for the book as if it were their own.

Lastly, I present this book to all people who have dedicated their hearts to the beauty of light.

Akari Lisa ISHII

Je remercie profondément tous ceux qui m'ont soutenue jusqu'à ce que cet ouvrage voit le jour.

L'ensemble de nos clients, mes partenaires, mon équipe, mes collaborateurs et tous les corps de métier avec qui nous travaillons, ces personnes dont les projets sont présentés dans cet ouvrage.

Le personnel d'I.C.O.N. dont le talent n'a d'égal que la beauté, pour s'être dévoué au fond et à la forme de ce livre et s'être courageusement occupé des si complexes droits d'auteur.

Toutes les personnes de Kyurudo Art-Publishing qui m'ont constamment et patiemment aidée, depuis le stade de la planification, jusqu'à celui de l'étalonnage des couleurs : son conseiller senior M. Ryutaro Adachi ; son directeur M. Kinya Adachi ; la directrice de section Mme Sato et son assistante Mme Fukaya ; ainsi que Kinmei Printing qui nous offre un extraordinaire rendu de couleurs grâce à sa technique.

Un immense merci à ma famille qui m'a toujours encouragée. Merci aussi à mes parents qui m'ont donné leurs conseils exigeants et avisés et ont témoigné de leur enthousiasme tout au long de ce travail comme si c'était leur propre publication.

Enfin, je dédie ce livre à toutes les personnes qui sont sensibles à la beauté de la lumière.

Akari-Lisa Ishii

アイコニック・ライト
石井リーサ明理のライトアップの世界

発行日　2015 年 11 月 8 日

著者　石井リーサ明理

アートディレクション・デザイン　石井リーサ明理
写真　　　　　I.C.O.N.
編集協力　I.C.O.N.

翻訳　　　　英訳 Geoffrey Trousselot（ジェフリー・トルーセロ）
　　　　　　仏訳 Virginie Aussedat（ヴィルジニー・オスダ）
　　　　　　翻訳協力　株式会社リベル

発行者　　足立欣也
発行所　　株式会社求龍堂
　　　　　〒 102-0094
　　　　　東京都千代田区紀尾井町 3-23 文藝春秋新館 1 階
　　　　　TEL　03-3239-3381（営業）03-3239-3382（編集）
　　　　　http://www.kyuryudo.co.jp

印刷・製本　錦明印刷株式会社

©2015 Akari-Lisa ISHII
Printed in Japan
ISBN978-4-7630-1525-9　C0072

本書掲載の記事・写真等の無断複写・複製・転載ならびに情報システム等への入力を禁じます。
落丁・乱丁はお手数ですが小社までお送りください。送料は小社負担でお取り替え致します。